SETE ANOS

FERNANDA TORRES

Sete anos

Crônicas

2ª reimpressão

COMPANHIA DAS LETRAS

Grafia atualizada segundo o Acordo Ortográfico da Língua Portuguesa de 1990,
que entrou em vigor no Brasil em 2009.

Capa
Alceu Chiesorin Nunes

Imagem de capa
Daryan Dornelles

Preparação
Márcia Copola

Revisão
Adriana Bairrada
Isabel Jorge Cury

Dados Internacionais de Catalogação na Publicação (CIP)
(Câmara Brasileira do Livro, SP, Brasil)

Torres, Fernanda
Sete anos : Crônicas / Fernanda Torres. — 1ª ed. — São Paulo :
Companhia das Letras, 2014.

ISBN 978-85-359-2460-2

1. Crônicas brasileiras I. Título.

14-09596   CDD-869.93

Índice para catálogo sistemático:
1. Crônicas : Literatura brasileira 869.93

Todos os direitos desta edição reservados à
EDITORA SCHWARCZ S.A.
Rua Bandeira Paulista, 702, cj. 32
04532-002 — São Paulo — SP
Telefone: (11) 3707-3500
www.companhiadasletras.com.br
www.blogdacompanhia.com.br
facebook.com/companhiadasletras
instagram.com/companhiadasletras
twitter.com/cialetras

Para o Joaquim e o Antônio

Sumário

Apresentação

Em 2007, Mario Sergio Conti me convidou para escrever na recém-lançada revista *piauí* um artigo sobre o medo do ator de estar em cena.

Cristina Grillo leu "No dorso instável de um tigre" e achou que eu teria fôlego para manter uma coluna quinzenal na *Veja Rio*. A gravidez avançada e a possibilidade de exercer uma atividade criativa sem ter que sair de casa me levaram a aceitar a oferta.

Eu voltaria a contribuir para a *piauí* com os perfis de Bráulio Mantovani e Hany Abu-Assad, além de selecionar a correspondência deixada por John Gielgud e redigir uma introdução para ela. "Kuarup" foi o primeiro texto que escrevi para mim mesma, com a finalidade de ordenar as memórias dos dois meses e meio de filmagem na selva, sob o comando de Ruy Guerra. O relato ficou anos na gaveta, até que a estreia do filme *Xingu* criou motivo para publicá-lo. Foi minha última parceria com a revista.

Em 2010, Sérgio Dávila propôs que eu abordasse as eleições para a Presidência no caderno Poder da *Folha de S.Paulo*. Muitos dos artigos sobre política desta edição fazem parte desse período. Selada a vitória de Dilma, passei a manter uma coluna mensal na Ilustrada.

As crônicas aqui reunidas foram escritas ao longo de sete anos e contam, de certa forma, a história do meu noviciado. Desenvolver ideias dentro de um espaço determinado, falar, sem deixar de ser pessoal, de temas de interesse comum, e dar valor à concisão são algumas das lições que tomei do jornalismo.

Ao revisar os textos, cogitei conservá-los intactos, do modo como foram publicados, mas desisti. Cortei baldes de adjetivos, limei os advérbios que pude e resumi parágrafos; em especial, nos artigos escritos há mais tempo. Os mais recentes sobreviveram sem maiores plásticas.

Pela cronologia, este livro deveria ter saído antes do *Fim*. Diversas passagens que deram origem ao romance — a morte do meu pai, o velório de Jardel Filho na Cinelândia e o convívio com Jorge Dória — nasceram aqui.

Os assuntos foram organizados por blocos, mas os textos podem ser lidos aleatoriamente.

Como colaboro num jornal de São Paulo e numa revista do Rio — e eventualmente na *piauí*, que é lida por um público seleto —, vários artigos se mantêm inéditos para os diferentes leitores.

Existe apenas um escrito virgem, feito para a *piauí*, que, por pudor, eu havia preferido deixar guardado. Trata da morte do meu pai e faz parte da trinca de crônicas dedicadas a ele.

Um ator, mesmo que a sós em cena, carece de um aparato custoso para exercer seu ofício. No mínimo, do público ao redor dele. É uma profissão coletiva e extrovertida. Poder escrever que vinte elefantes entraram num quarto sem que eles tenham que estar lá é uma libertação sem nome para alguém acostumado à rotina teatral da missa de corpo presente.

As letras têm me feito grande companhia.

DE ARITANA A LEILA DINIZ

Paulo Marcos / Grapho Produções

Set de *Kuarup*, filme de Ruy Guerra baseado no romance *Quarup*, de Antonio Callado. As filmagens aconteceram no primeiro semestre de 1988, no Parque Nacional do Xingu, onde passei dois meses e meio acampada.

Kuarup

As filmagens de *Kuarup* são mais fiéis ao espírito do livro de Antonio Callado do que o próprio filme. Acontece. Publicado em 1967, *Quarup* narra, através da saga de padre Nando, as transformações vividas pelo Brasil, do suicídio de Getúlio até a ditadura militar. A narrativa acompanha um grupo de brasileiros que se embrenha nos cafundós do Planalto Central para demarcar o centro geográfico do país. Os personagens, cada um à sua maneira, se juntam à expedição por razões idealistas, românticas, éticas e científicas, mas acabam fazendo uma viagem para dentro de si mesmos. O marco geográfico se revela um lugar hostil, habitado por um gigantesco formigueiro de saúvas agressivas. Nós, atores, produtores e técnicos, seríamos submetidos às mesmas pressões de que padeceram os heróis da literatura. Esse era o choque que Ruy Guerra desejava captar.

Sondada para participar do projeto, sofri frenesis de expectativa: eu tinha 23 anos. A vontade de me perder no Brasil profundo por quatro semanas — elas viraram dez —, alojada junto às tribos do Alto Xingu, na pele de Francisca e dirigida por Guerra, ofuscava, em mim, quaisquer outras vontades. Eu me via em *Uma aventura na África*, abrigada numa barraca militar inglesa, discutindo o guião à luz do poente.

Um filme não é apenas um filme, é um filme e mais a logística de dar conta da tropa que o realiza. Um circo grande como aquele, no meio do nada, com duração prevista de três meses, contava com mais de uma centena de voluntários: de peões goianos a intelectuais sensíveis, de cozinheiras do Méier a atrizes burguesas, de japoneses paulistas a lendas vivas do *grand écran*.

Viveríamos isolados na mata, com luz racionada, sem privacidade, banheiro ou telefone, a três horas e meia de teco-teco de um aparelho de televisão. Improviso, logística tupiniquim e espírito aventureiro se misturavam para tornar real a visão do diretor.

Carismático, líder, jogador, culto e revolucionário, figura sem similar, Ruy Alexandre Guerra Coelho Pereira nasceu em Maputo, capital de Moçambique, em agosto de 1931. Responsável por obras-primas como *Os cafajestes* e *Os fuzis*, Ruy teria coragem suficiente para descer a Sierra Maestra e tomar Cuba de Batista, mas escolheu o cinema.

Ator bissexto, participou de *Aguirre, a cólera dos deuses*, ao lado de Klaus Kinski e sob a direção de Werner Herzog. Ruy desceu o rio Amazonas de jangada, desde a nascente até a foz, câmera junto, arriscando a vida num misto de teatro experimental, psicodrama e cinema. Os dois alemães do Valhala nutriam uma atração sadomasô um pelo outro. Xingavam-se constantemente e, muitas vezes, trocavam chutes e pontapés. O elenco esperava as pazes sentado, fritando no calor do Equador, debaixo da armadura do século XVI.

Dessa vez, o leme estaria na mão do Ruy.

Depois de um voo de carreira Rio-Brasília, o fotógrafo Edgar Moura, Taumaturgo Ferreira — escolhido para viver padre Nando — e eu embarcamos numa viagem de mais de três horas a bordo de um pequeno avião bimotor Seneca. De cima, era possível perceber o efeito Philishave do desmatamento no solo sem fim de Goiás. Estávamos em 1989, ano da primeira eleição direta para presidente em quase três décadas.

O piloto chamou nossa atenção para a fronteira da reserva ambiental, uma linha reta de mata fechada que se elevava abruptamente diante do cerrado careca. Sete propriedades particulares faziam fronteira com o Parque Nacional do Xingu, terra suficiente para conter Holandas e Bélgicas.

A aeronave avançou sobre o mar de folhas verdes, onde, em caso de acidente, a copa das árvores se fecha, impedindo a localização de sobreviventes. Procurei não pensar em desgraças e me diverti com o manche. Na metade do caminho, Edgar Moura, um homem alto, se queixou de dores na coluna. A cabine era tão apertada que ele não conseguia sentar-se ereto. As dores o acompanhariam por toda a filmagem, agravadas pela jornada árdua e pelas barracas baixas, que nos obrigavam a viver de cócoras.

Não foi um caso isolado.

Uma fumaça rosa despertou nosso interesse. Surgia densa, em meio à imensidão da floresta. Era a sinalização de um pelotão de treinamento avançado do Exército avisando que ainda estavam vivos. Mais uma boa hora e meia de viagem, e vislumbramos a pista de barro. Arremetemos para que um cavalo fosse retirado do caminho e, na segunda tentativa, aterrissamos.

Dali, tomamos uma chatinha a motor. O primeiro choque de realidade se deu depois de cruzar o rio Xingu e quebrar à direita, continuando por mais uma hora pelo delicado Tuatuari. Da embarcação, avistei as primeiras cabanas do lugar que chamaria de lar pelos oitenta dias seguintes. O delírio inglês acabou ali. As tendas eram de náilon, dessas que se compravam na Mesbla para acampar em Saquarema. Em tons cítricos e motivos abstratos, se alastravam horrendas, destruindo a paisagem do esbelto afluente. As águas do rio, ainda turvas, estariam azuis em um mês. Já o rancho em trinta dias apresentaria sinais graves de deterioração, como acontece em campos de refugiados.

Dividido em zonas, o acampamento era cercado de tela para nos proteger dos animais selvagens. E também porque Aritana, o cacique da tribo mais próxima, a Yawalapíti, achou boa a ideia de nos deixar presos enquanto os índios ficavam livres do lado de fora. A zona mais afastada da margem, sem direito à brisa do rio, se estendia do barracão-refeitório até a floresta. Era ocupada pela base da pirâmide social: o pessoal da estiva, da limpeza e da cozinha.

Ao lado do barracão-refeitório ficavam a produção e o rádio, único contato com a civilização. As três edificações eram feitas de madeira e palha; o resto, de plástico. Vinte dias após a nossa chegada, ficaria pronto o banheiro coletivo. Na parte alta do terreno, margeando o Tuatuari, à esquerda dos barracões, foram erguidas as acomodações da equipe, batizadas de Savana Hills. Meu barraco ficava depois dessa área populosa, seguindo um declive acentuado que levava até uma praia de areia branca, luxo reservado ao topo da cadeia alimentar. Meus vizinhos eram o Ruy, o Taumaturgo e o ator Roberto Bonfim.

Bonfim era um empreendedor compulsivo. Amava tanto a vida na selva, que se mandou para lá antes, junto com o pessoal que levantou as instalações. Cavou sozinho a enseada em que me alojei. Quando o local se transformou na Ipanema dos dias de folga, Bonfim limpou o mato adiante, criando uma segunda enseada mais recolhida. A privacidade era um bem raríssimo.

Graças a ele, comíamos peixe de vez em quando, pescado com um corrico que tinha sempre à mão, nas longas viagens de volta para o alojamento. A alimentação era um caso à parte. No meu devaneio de estrela não sonhei apenas com Bogart e Hepburn: fui certa de que manteríamos uma dieta frugal, com peixe fresco e frutas do pé. Delírios de moça fina. Seria impossível manter cem bocas alimentadas na base de anzol. Os sacos de carne moída, conservados num freezer a meia potência, eram trazidos de avião dos estados vizinhos, junto com feijão e arroz. Seu Norival, o cozinheiro, enfrentava com Dalva, dona de uma bunda indescritível, o setor mais difícil da legião. Não havia opção, dependíamos deles para sobreviver.

Não era fácil manter a higiene em meio ao barro, às pias entupidas e refeições sequenciadas. A faca da cebola cortava a melancia e a geladeira espremia alho com bugalhos. Mas o que seu Norival, Ruy e Mair, o produtor executivo, não previram foi que nossos anfitriões — acostumados com uma dieta monótona de peixe moqueado, mandioca e frutas silvestres — enlouqueceriam com os temperos do branco.

O resultado foi o inchaço das filas da alimentação, agora formadas também por indígenas ávidos por iguarias. Eles chegavam cansados, depois de caminhar quilômetros, e repetiam pratos robustos. A comida rareou, o trabalho de seu Norival triplicou, enquanto a produção tentava encontrar uma maneira diplomática de explicar aos donos do pedaço que eles não eram bem-vindos à mesa. Ofensa capital.

Tanto a aldeia Yawalapíti quanto a Kamayurá — que visitávamos a pé e serviam de locação para muitas tomadas — foram receptivas à nossa presença. Os yawalapítis estiveram perto de ser extintos. Foram salvos graças a casamentos com membros da Kamayurá — aldeia centenária localizada às margens de um grande lago, cercada por um pomar cultivado por gerações. A Yawalapíti ficava a poucos metros de distância da base, já a Kamayurá só era alcançada depois de uma boa caminhada. Acredito que toda a negociação tenha se dado entre os caciques dessas tribos e a Funai.

O problema é que qualquer contrato entre brancos e índios arrasta consigo quinhentos anos de desigualdade. O branco sempre levou vantagem. Fechou-se uma proposta na qual, além de um acerto financeiro, se estabelecia que parte do equipamento de logística — balsas, geladeiras e rádios — ficaria no parque após nossa partida. Quando a parafernália técnica começou a desembarcar, os chefes quiseram rever o acordo, achando que haviam sido modestos nas exigências. As discussões se alongaram mesmo depois do início dos trabalhos. Mair e Ruy se alternavam entre o set e a sede da Funai, fazendo as vezes de interlocutor de Paulo Brito, o principal investidor, e os chefes.

Uma noite, lendo em meus aposentos, escutei a voz alarmada dos irmãos Yamada — os nipo-paulistas da equipe de câmera. Eles gritavam que Ruy e Mair estavam sendo mantidos como reféns e que havia boatos de que o acampamento seria atacado a flechadas naquela madrugada. Enquanto decidia em que matagal me esconder, fui atrás do Bonfim. Em caso de guerra, só ele para me tirar dali.

O alarme era falso. Ninguém morreu de zarabatana. Mas Ruy e Mair enfrentaram sozinhos uma situação digna de *Amaral Netto, o Repórter*. Sentados em dois banquinhos na sede da Funai, no meio de uma roda de homens parrudos, de tanga, nossos líderes procuraram demonstrar firmeza. As bordunas em riste avançavam na direção deles e recuavam, mas os dois se mantiveram impávidos. A prova de macheza causou impressão, realizou-se uma nova negociação e a ameaça não se repetiu.

Fizemos amigos sinceros, como Palavra, que jurava, com os

olhos cheios d'água, ter feito contato com um disco voador. Palavra era capaz de acertar uma mosca com uma flecha, literalmente. Muitos índios vinham de longe admirar nosso modo de vida, o festival de gravadores, livros, xampus, lanternas, canivetes e máquinas fotográficas. Às vezes, as famílias sentavam-se na porta das barracas para nos observar, como que em visita ao zoológico.

Na Kamayurá, o técnico de som Jorge Saldanha conheceu a Casa dos Homens. Queríamos tomar um banho na lagoa, e os índios, antes de dar a permissão, convidaram o Saldanha a entrar na palhoça proibida às mulheres, situada no centro da aldeia. Enquanto eu aguardava com uma escolta na entrada, Jorge era arguido sobre coisas tão simples quanto: "Como é uma esquina?".

Assistimos a rituais dos nativos paramentados com faixas de papel higiênico cuja função prática era nula mas que, penduradas no corpo, produziam um incrível efeito. Vi aparelhos de som, os paraibões, ornados com penas e urucum, dançando sem pilha nas mãos dos guerreiros. Antes de embarcar para o Xingu, minha fantasia era a de que encontraria com seres vindos de uma estrela colorida e brilhante; eu tinha uma visão idealizada e fiquei surpresa ao dar de cara com matutos. O espírito do índio se espalhou pelo Brasil. Ele é a raiz do caipira, do jagunço, do mineiro e dos heróis de *Grande sertão*. Somos todos índios.

Nem tanto.

Assim que desembarcávamos no parque, recebíamos uma preleção, da Funai e da produção, esclarecendo que manter relações sexuais com os silvícolas era um crime prescrito por lei e passível de prisão. A atração, travestida de amor, poderia causar doenças sexualmente transmissíveis, capazes de aniquilar nações. Qualquer gesto nesse sentido poria em risco o projeto.

Mas o romance estava no ar.

Diante da entrada da oca principal, bem em cima da cozinha comunal, havia um pôster de Aritana dos anos 1970, com uma foto alaranjada, colada em fundo de madeira. Assim como o tio, os sobrinhos cumpriam o papel de machos alfa da aldeia; gostavam de óculos ray-ban e olhavam com apetite para as meninas. O mais sedutor se encantou por uma assistente de figurino muito mocinha, muito lourinha e muito bonitinha. Para impedir que o ato fosse consumado, a produção despachou a Julieta no primeiro avião e deixou Romeu na vontade.

Não é fácil controlar a libido num filme de locação. Vacinado contra a lubricidade dos brancos, e já prevendo acidentes, Aritana transferiu todas as adolescentes para a Kamayurá. Não havia meninas por perto, só matronas sem maiores apelos. Quando visitei a tribo distante, pude entender a loucura dos portugueses do tempo de Cabral pelas cunhãs tatuadas. Elas rodeiam com sorrisos meigos quem chega, falam baixo e passam as mãos na gente. Parecem fadas e seriam a perdição de um homem carente.

Carência, aliás, é o subtítulo de qualquer película de locação. Aceitar um emprego desses é como se alistar no Exército. Você abre mão da individualidade, da vida pregressa, você suspende os seus direitos de cidadão e passa a agir em nome do regimento.

A abdução cinematográfica torna irresistíveis pessoas que não teriam nenhum atrativo fora da locação. É difícil confiar no próprio julgamento. A terceira semana marca o início da comichão amorosa, que atinge o pico na quinta e arrefece ali pela sétima semana. Isso em um período normal, de dois meses. No caso de *Kuarup*, em que sessenta dias de mato se transformaram em 120, e mais outros sessenta de Recife, a dança do acasalamento começou no fim do primeiro mês e só Deus sabe quando terminou. Meu romance furtivo, depois de mim, namorou mais duas — era preciso ser democrático. Casamentos foram feitos e desfeitos no Xingu.

O maquinista Moacyr escolheu uma goiana muito, mas muito feia, para receber seus carinhos. Ninguém entendia, já que o Moa era um malandro sestroso de alta estirpe. Um dia, perguntei o porquê da amante. O Moa sorriu matreiro: "Dá uma olhada na minha barraca". Eu dei. Parecia o Palácio de Versalhes. A eleita era da equipe de limpeza. O teto esticado e a cama feita. O jardim, com flores na entrada, delimitado por uma cerca baixa que levava até o ninho de amor onde, à noitinha, ele retribuía os cuidados.

Sabia tudo, o Moa.

Menos de tecnologia. Havia muita ansiedade em torno da chegada da Panther, o primeiro dolly operado eletronicamente a desembarcar no Brasil. O artefato — um carrinho-grua que pode ser usado sobre trilhos, ou com roda de borracha — foi importado junto com um japonês que ensinaria a maquinistas com prática em prego e sarrafo os segredos do terceiro milênio. Quando o robô-felino aterrissou no Xingu, fomos recebê-lo com o mesmo assombro dos macacos do *2001* perante o monolito. Era uma traquitana negra de metal, linda, compacta, acompanhada de braços mecânicos *à la* Transformers.

Moacyr tinha orgulho de ter improvisado um dolly a partir de uma caixa de verdura de feira, numa cena dirigida por Ana Carolina. Os trilhos não cabiam no corredor do trem. Moa descrevia em detalhes como passou vela no chão do vagão, para que o caixote deslizasse que nem gelo, e cravou lá a câmera Arriflex, puxando tudo com uma corda. Na época, a maquinaria pesava toneladas e os trilhos eram construídos na hora, na base da marcenaria. Gastavam-se tempo e esforço para subir, descer, avançar e recuar a lente.

O japonês prometia milagres com a parafernália dos Jetsons, mas era preciso se entender com o controle remoto. Moacyr reagiu cabreiro, sentia-se ameaçado, era o fim do caixote de feira. Não sei se foi mandinga, ou prova de que o meio vence o homem, mas, logo na estreia, um punhado de areia se meteu na engrenagem e a bicha nunca mais foi a mesma.

Ruy gostava de formular planos-sequência; demorávamos horas para ensaiá-los, sincronizando a marcação com os travellings, panorâmicas e closes. Engastalhada na poeira, a Panther travava os movimentos, apitava e desfalecia. Vencido, o japonês desligou o circuito interno e pegou um avião de volta. O trambolho ficou, movido a bíceps, como na velha tradição.

Foi a realização do Moacyr.

Constatado o atraso no plano de filmagem, a produção permitiu que os atores visitassem sua cidade de origem por dois dias, antes de retornar. Foi pior do que se tivéssemos ficado. Ao pôr os pés em casa, comer direito, tomar banho quente e dormir em cama alta, tive a real compreensão do que estava vivendo. Sem os atrasos, meu trabalho estaria encerrado ali, era o meu limite. Agora, eu tinha a obrigação de retornar, e sem previsão de término. O roteiro era um calhamaço do tamanho do livro e, da minha fase, ainda faltava cumprir a metade. Pousei no Xingu com receio da pessoa em quem eu me transformaria.

De regresso à rotina, a embarcação que me trazia quebrou a uma hora de distância do acampamento. Outra, com a equipe de fotografia, parou para dar assistência. Não tive dúvida: saltei para o barco deles sem pensar em quem estava deixando para trás. Não se passaram dois minutos, esse também quebrou. Dez minutos mais, a lancha em que eu estivera emparelhou conosco, alguém havia dado cabo do defeito. Sem pestanejar, pulei para dentro dela, abandonando as pessoas que tinham acabado de me resgatar. Estas ficaram encalhadas até o anoitecer, e só saíram de lá porque a cenógrafa Marlise, única mulher a bordo, se revoltou com a mariquice dos companheiros, meteu o pé no lodaçal, tirou a vegetação enleada no motor, empurrou sozinha a barcaça, subiu de volta e mandou dar a partida.

Lembro-me de uma conversa sobre o acerto financeiro — que teve de ser rediscutido com o Mair — na qual abri o berreiro pedindo que me tirassem dali. Dei para tomar Novalgina para dormir nos dias em que não era recrutada. Me recusei a fazer o retake de um plano que não havia ficado bom, porque isso exigiria que eu permanecesse mais vinte e quatro horas naquele lugar. Depois aceitei, mas a grosseria já estava feita. Na despedida, coloquei "Comida", dos Titãs, para tocar no alto-falante do refeitório:

A gente não quer só comida
A gente quer comida, diversão e arte

Durante muitos anos, sofri embaraço com o Ruy. Só me curei em Casa de areia, onde ele fazia o papel do meu marido. O filme era uma versão moderada da proeza logística de Kuarup, só que no Maranhão. Imprimi quatro camisetas para os que tinham sobrevivido ao Xingu — eu, o Ruy, o Jorge Saldanha e um rapaz do figurino. Nelas, lia-se em letras garrafais: "Me respeita. Eu fiz Kuarup".

Não fui a única a degringolar. Todos, com o arrastar do tempo, demonstraram sinais de descompasso. O assentamento era o retrato do que acontecia conosco por dentro. O lixo trouxe as moscas, antes inexistentes; os copos de plástico se alastravam pela bacia do rio Xingu, denunciando a nossa presença mesmo a quilômetros. As brigas se sucediam, tapas, socos, faca.

Uma noite, alta madrugada, fomos acordados por "Satisfaction", dos Rolling Stones, tocando altíssimo numa das tendas. O morador abria e fechava o zíper, ao mesmo tempo que acendia e apagava a lanterna. *Os embalos de sábado à noite*. Gritos desconexos indagavam em desespero: "E a minha carência?! E a minha carência?!...". Mais um que se foi, retirado de avião no dia seguinte, para evitar o contágio.

Remávamos canoas indígenas para não enlouquecer. Edgar Moura se dedicou a pequenos engenhos. Inventou um gravador que se equilibrava sobre uma boia amarrada ao corpo, para ouvir música enquanto praticava natação. A engenhoca adernou, mas preencheu o vazio.

Ele também se empenhou na construção de um aviãozinho guiado por controle remoto. No dia da folga, sempre deprimente pela falta do que fazer, Edgar arregimentou alguns entusiastas e construiu uma torre de lançamento. Ansiosos, nos reunimos em torno do Cabo Canaveral. Com entusiasmo infantil, Edgar mandou que lançassem a invenção no ar. O aeroplano cumpriu uma curva descendente e *nheeeeeeeeeeeeuuuuuuuusplashhhh...* espatifou-se na água. O silêncio foi cortante. Recolhemos os destroços com o pesar de quem enterra um passarinho.

O primeiro assistente de direção, Rudi Lagemann, se recusava a entrar no rio. Numa manhã, para espanto geral, decidiu arriscar. Celebramos a notícia, aplaudindo o ruivo de pele sardenta, enquanto ele se livrava das botas. Saudações se somaram aos aplausos no momento do mergulho. De repente, depois de vencer alguns metros corrente acima, o corpo de Rudi se retesou, ele encolheu como uma mola e afundou até o pescoço. A correnteza arrastou com rapidez o rosto contorcido num esgar. Testemunhamos atônitos o desenrolar da tragédia, sem esboçar reação, até que alguém gritou: "É câimbra!", e pulou na água para trazê-lo de volta à margem. Foguinho, como era e ainda é conhecido, carregava a responsabilidade de ser o braço direito de Ruy. O relax foi quase fatal.

Os irmãos Yamada, alérgicos a insetos, usavam roupas pretas, de ninja, para se proteger da fauna. Eles se embalavam a vácuo, enrolando com fita-crepe a junção das botas com a calça, das luvas com a camisa e da gola com a máscara. Esta cobria o rosto inteiro, só os olhos e as narinas ficavam de fora. Despertávamos antes de raiar o sol. O rio, exalando névoa quente, era o melhor antídoto para a friagem. Os japas selavam o escudo no fresco das primeiras horas, mas assim que o sol vencia o horizonte, o calor começava a castigar.

O Xingu é um rebatedor gigantesco, a luz reflete de todos os lados. No fim de cinco semanas de esquenta e esfria, de suor por cima de suor sob a armadura de pano, os fungos proliferaram na pele dos samurais. A erisipela os obrigou a abandonar o serviço e voltar para a segurança do ar poluído de São Paulo. Mais duas baixas.

Em meio à debacle, Paulo Brito, o empresário que havia apostado as fichas na empreitada, desembarcou de jato no Xingu com a família. Fernando Bicudo, envolvido nas negociações, acompanhava a comitiva. Os nativos prepararam uma recepção de gala na Kamayurá. Houve confraternização, lágrimas e coreografia. No café da manhã do dia seguinte, comentei com Brito que, mesmo que tudo desse errado, a tarde anterior já teria valido a pena. Ele me olhou sério, como quem encara um operário relapso, e, com razão, respondeu que se importava, e muito, com o resultado.

Até o empreendedorismo do Bonfim deu pane. Capinar era a melhor maneira de manter a mente sã. Bonfim cuidava da limpeza das praias, ateando fogo às folhas secas, quando um vento mais forte levou uma fagulha até o capim alto que circundava o acampamento. As labaredas subiram de um segundo para outro. No corre-corre, foi organizado um mutirão para impedir que as chamas atingissem os botijões de gás do barracão da cozinha. Os extintores não deram conta e o fogo só foi controlado com a ajuda de baldes d'água carregados em fila indiana. O acidente se repetiria dali a um mês, e só não foi pior porque a maior parte da equipe se encontrava em Aripuanã.

Aripuanã é o Velho Oeste brasileiro. Uma vila perdida no extremo norte de Mato Grosso, fronteira da Floresta Amazônica, vizinha de nações indígenas em conflito com garimpeiros.

Louros descendentes de alemães formavam o grosso da população. Durante os anos 1970, dezenas de famílias foram seduzidas a deixar o Rio Grande do Sul, Paraná e Santa Catarina e migrar para o norte. Foi a estratégia encontrada pelo governo militar para ocupar os grandes vazios. Mas a cultura de plantio tradicional — desmatamento seguido de aradura, plantio e colheita — não se aplica à região do Amazonas. Uma vez cortadas as árvores, a camada de solo fino se transforma em areia.

A agricultura não vingou. Comiam-se enlatados, ensacados e não perecíveis. A única atividade rentável, além do garimpo ilegal em reservas indígenas, era a extração de madeira. As serrarias gemiam nas calçadas, e um pó fino e avermelhado levantava do chão a cada passo. O ar era irrespirável.

A cachoeira de Aripuanã justificava a nossa presença ali — um complexo de rochas cavadas em círculo, onde andorinhas alçavam voo através da nuvem formada pelas cascatas que se precipitavam em meio à vegetação.

Ouvi dizer que o colosso secou.

Meu quarto tinha um metro e meio por dois e meio. Uma mansão de paredes firmes, janela basculante e porta com fechadura. Na primeira noite, fui despertada por vozes femininas. "Feirnanda! Feirnanda!", diziam elas, com sotaque interiorano. Eram prostitutas do inferninho local, tentando acordar alguém ligado ao filme. "Vão matar o Bonfim! Vão matar o Bonfim!", repetiam.

Nos juntamos na porta do hotel e demos com o Bonfim no meio da rua, trôpego, aliviando a bexiga com uma concentração de toureiro. As meninas continuavam aturdidas com a gravidade da situação. Bonfim havia se exaltado com os garimpeiros do bar e fora jurado de morte, os matadores estavam a caminho. Ruy se adiantou e mandou-o entrar. O bugre encarou o diretor com uma clareza que só o estado etílico permite atingir e disse: "Ruy, vai tomar no cu". A frase ecoou na noite mato-grossense. A corja de linchadores não apareceu.

Dias depois, o mesmo piloto que nos levara até lá realizou uma manobra impressionante com o bimotor para as câmeras: um rasante sobre a queda-d'água para lançar um fardo na direção do elenco. Rodávamos uma sequência em que a expedição recebia uma carga de suprimentos. O cubo de dois por dois foi cuspido da aeronave, mas, em vez de parar no local do arremesso, seguiu quicando como uma bola de pingue-pongue de Itu e passou de raspão por Bonfim. Por pouco a cena não lhe toma a vida. O take está no filme.

Deixamos o Velho Oeste de volta para o arraial num avião Hércules da Força Aérea Brasileira.

Lembro-me de que na última locação, no rio Xingu, uma onça amedrontou os vigias que dormiam no set, obrigando-os a passar a noite num barco no meio do rio. Sorte deles, o material de cena que pernoitou na mata foi comido pelas formigas. Do chapéu de palha de Francisca só sobrou a metade. Havíamos chegado ao centro geográfico do país.

Depois de refazer a cena pendurada, entrei no mesmo avião Seneca da vinda — dessa vez sem bancos —, na companhia de uma família de índios e de Débora Bloch.

De repente, não havia mais Xingu. O Tuatuari, a lua cheia nascendo em simetria com o sol poente, o jacaré apreciando a confluência astral, os copos de plástico, as barracas, o boi ralado nas refeições. Nunca mais.

Marlise — a cenógrafa que desatolou o barco sem a ajuda de ninguém — me diria, anos depois, que quando eu me desesperei por ainda dever uma tomada, ela não entendeu que diferença fazia ficar mais uma noite ali. Mas nas semanas que antecederam a sua partida, a ansiedade foi tanta, que mal conseguiu dormir. E quando a porta do teco-teco abriu, Marlise saiu numa corrida egoísta pelo primeiro lugar a bordo. "Parecia a retirada de Phnom Penh, no Camboja, durante o avanço do Khmer Vermelho", contou.

No Rio, levei uma descompostura do artista plástico Frans Krajcberg em razão de uma entrevista em que eu citei as dificuldades de se manter cem caras-pálidas afastados da civilização. Ele achou que eu estava agredindo a mãe natureza. Não era a intenção, mas a síndrome pós-traumática provocou, em todos que resistiram ao Xingu, um ceticismo acentuado com relação à vida selvagem. Um membro mais sardônico da equipe — ele pediu para não ser identificado —, ao retornar, estampou na camiseta os dizeres: "Índios, pra quê?".

Parte do grupo voltaria a se encontrar no Festival de Cannes, onde *Kuarup* foi selecionado para a mostra oficial. Claudia Raia, a figura mais exuberante da delegação, foi fotografada por Jim Jarmusch na piscina do Hotel Majestic e ousou no tapete vermelho, com um cocar de penas e longo preto de sereia.

O fim dos anos 1980 marca o início da militância verde em escala global. Sting se transformou no melhor amigo de Raoni e John Boorman descobriu a cabrocha Dira Paes. A Amazônia tomou de assalto o imaginário brasileiro e o índio ocupou o lugar do proletariado como ícone dos desassistidos. Meus amigos viviam metidos em monomotores, empenhados na realização de documentários, longas, séries e novelas de TV. Viviam entre o Acre, o Pará, Roraima, Mato Grosso e Goiás.

Brincando nos campos do Senhor, de Hector Babenco, foi o projeto mais ambicioso de cinema para a região. Com uma infraestrutura infinitamente superior à de Guerra, a equipe de Babenco se alojou em hotéis, os equipamentos vieram acompanhados de técnicos capazes de ler o manual em inglês, e Saul Zaentz — o mais independente dos produtores de Hollywood — deu liberdade ao diretor para conduzir Tom Berenger, Daryl Hannah, Tom Waits, Kathy Bates e John Lithgow por seis meses de rodagem, precedidos de mais de ano de preparação.

O primeiro sinal de que de brincadeira o filme só tinha o título aconteceu quando todos os dólares, convertidos em cruzados para o pontapé inicial, foram confiscados pelo pacote econômico de Zélia Cardoso de Mello.

Capitalismo selvagem.

O *Brincando* quase faliu a Fantasy, selo fonográfico de Zaentz, um dos maiores arquivos de gravações de jazz do planeta.

O cansaço, a distância, o calor, as doenças e os bichos, além do risco constante em pequenos aviões mal revisados, representavam o dia a dia do cinema nacional. A exploração visual da Amazônia durou cinco anos, depois arrefeceu. A onda marajoara reuniu os avanços da tecnologia à herança indígena. A transição entre o cinema autoral e o técnico ocorre aí.

Não à toa, o último filme da leva tupi foi o comercialíssimo *Anaconda*. Criada no Japão e transportada como joia até o Amazonas, a grande estrela da fita — uma cobra androide operada por cabos — era capaz de executar centenas de movimentos sinuosos de ataques, fugas e botes. Os eletrodos enovelados, conectados a um computador central instalado no barco de cena, permitiam aos atores contracenar com o monstro.

No primeiro teste, a jararaca foi jogada do tombadilho e, na avidez de ver o batismo, todos correram para o mesmo lado da embarcação. O peso virou o barco com tudo dentro, mesa de comando inclusive. A Anaconda entrou em curto e caiu em sono eterno. O projeto foi adiado por um ano para que refizessem o Golem.

As máquinas de última geração sofrem mais do que os homens quando expostas à natureza extrema.

O período que vai da chegada da Panther, no Xingu, até o afogamento da sucuri mecânica, em Manaus, acompanha a última fase da Embrafilme. Em 1990, o presidente Fernando Collor extinguiu a empresa, deixando sem perspectiva toda a geração que se desenvolveu à sombra da estatal. Ao mesmo tempo, Collor abriu o Brasil para o mercado externo. Câmeras, refletores e microfones aportaram aqui e encontraram o cinema falido. Arnaldo Jabor virou articulista, outros escolheram a carreira acadêmica e muitos se mandaram para a televisão. A publicidade era o único nicho — fora o documentário e as campanhas eleitorais — a ainda lidar com o celuloide. Mas, ao contrário do Cinema Novo, a moçada arregimentada pela propaganda foi apresentada à tecnologia antes de saber de literatura, filosofia, arte e política. Os voos artísticos se reduziam a videoclipes e anúncios de cigarro. As campanhas de tabaco eram sinônimo de status porque davam liberdade criativa ao diretor. Para se ver o fundo do poço em que estávamos metidos.

Na sessão das duas de *Shame*, num domingo de março, assisti ao trailer de *Xingu*, de Cao Hamburger. Quando dei por mim, estava chorando. As mesmas aldeias: a Kamayurá e a Yawalapíti de *Kuarup*; o sol na contraluz dos curumins, o rosto dos atores impressionados à vera. Tive a impressão de que havia, também eu, participado da obra de Hamburger. Vinte e três anos, e o impacto daqueles oitenta dias ainda permanece em mim.

A distância que afasta os dois filmes mede a história do cinema no Brasil, desde os estertores da Embrafilme até os dias de hoje. O pouco a que assisti me fez imaginar que *Xingu*, através dos irmãos Villas Bôas, tivesse afinal feito a ponte entre a ciência cinematográfica e o que temos de mais primitivo. Na minha vida, o hiato entre *Kuarup* e *Xingu* marca o fim dos desejos suicidas da juventude e o início da serenidade de quem foge de uma locação como o diabo foge da cruz.

Quarup é uma cerimônia fúnebre em memória dos mortos. Este é o meu Quarup de *Kuarup*, a propósito de *Xingu*.

Ben-Hur

Eu sei que não é de bom-tom gostar de Charlton Heston. Mas como controlar as impressões de infância? Amo Charlton Heston à loucura, especialmente a fase bíblica e a sua filmografia niilista, pós-Guerra-Fria, comendo Soylent Green e apanhando no *Planeta dos macacos*.

Revi *Ben-Hur* com meu filho pequeno. Os olhos nórdicos de Heston brilharam na tela, em contraste com a morenice do Crescente Fértil. O corpo musculoso arqueou, colapsando a cabeça sobre o peito, enquanto elevava a corcova para sustentar o peso do sofrimento humano. Heston se contorce quando ama e quando odeia, deslocando-se em câmera lenta, como se o ar fosse feito de gelatina.

São cenas de uma dificuldade ímpar para o intérprete. Entremear o texto com pausas solenes, reagir em big close à notícia de que a mãe e a irmã contraíram lepra na masmorra, exibir-se de tanga, acorrentado ao remo, e conduzindo a biga. A biga! Quem, da Royal Shakespeare Company, chicotearia os cavalos com a dramaticidade de Heston?

A representação mais poética que o cinema já produziu do mito da caverna de Platão está em *Ben-Hur*. Do fundo escuro da gruta dos leprosos, uma gigantesca boca negra mostra uma paisagem ao sol. Ela permanece estática, como nuvem, em contraste com a moldura da cova. A mãe balbucia um "tenho medo", enquanto a futura nora a encaminha em direção ao paraíso. "O mundo é muito mais do que se vê", assegura Esther.

Chorei e emendei com *Os dez mandamentos*, onde o saiote egípcio e a peruca em tufo lateral não favorecem o ianque. Yul Brynner leva vantagem em trajes típicos. Mas o anacronismo vai além das vestes. As convicções pessoais do astro contradizem o discurso misericordioso de seus personagens. A águia romana fez ninho na América, e Heston, bélico e republicano, encarna seu poderio. Ele é mais alto e atlético do que todos os figurantes a quem chama de sua gente.

Após o fim da Segunda Guerra, os americanos foram elevados à condição de escolhidos de Deus. Heston encarna Judá — o príncipe hebreu com talento para ser Moisés — com a certeza de que representa o bem e a justiça. Mas a potência que ajudou a Europa a derrotar Hitler arrasou Hiroshima com a mesma determinação das legiões e exportou o *American way of life* à maneira de Roma.

Em *A vida de Brian* — obra-prima do Monty Python —, radicais palestinos debatem sobre a vilania do Império de César. "O que Roma nos deu?", indaga um revolucionário. "Estradas", responde alguém. "Fora isso", insiste o revoltado. "E aquedutos!", completa um segundo. "Arquitetura! Saneamento básico, educação, progresso! A arte e os banhos!" A lista não tem fim.

O movimento sionista, fundado para pôr um ponto final nas perseguições às *juderías*, recebeu o apoio de homens como o barão de Rothschild, cujas doações à causa arremataram 125 mil acres de Terra Prometida. Israel trouxe desenvolvimento e riqueza para a região, mas também segregação, injustiça e insatisfação. É o enredo de *Ben-Hur* só que fora de ordem, com os judeus no papel de romanos e os árabes no papel de judeus. É estranhíssimo. A maior afronta do mundo árabe, segundo Hany Abu-Assad — diretor palestino de *Nazareth 2000* —, é resistir ao consumismo imposto pelo Ocidente. Sua postura é similar à de Ben-Hur perante Messala, que recusa a exigência do tribuno de se transformar em romano.

Eu, por preconceito gerado pelo fato de os muçulmanos não se parecerem comigo, acreditei que o terno bem cortado de Bashar al-Assad e o Louboutin da esposa seriam garantias de civilidade, mas a elegância do casal foi proporcional à ferocidade.

Os papéis de senhor e do escravo independem de credo ou etnia. Basta ver *Ben-Hur* com a perspectiva dos últimos cinquenta anos.

Hany no Alá-lá-ô

Em 2005, quando Hany Abu-Assad lançou *Paradise Now*, nos Estados Unidos, houve manifestações de protesto na frente dos cinemas que o exibiam. Apesar da indicação ao Oscar de melhor filme estrangeiro, o diretor foi acusado de edulcorar os terroristas suicidas do Jihad e tachado de irresponsável por executivos da indústria. *Paradise Now* conta a história de dois jovens palestinos da Cisjordânia que, por falta de perspectiva, se tornam homens-bomba. O filme termina com um deles sentado num banco de ônibus em Israel, segundos antes de apertar o botão.

Hany acerta na cinematografia elegante, no humor ácido e, principalmente, na identificação que provoca entre o público e os dois palestinos, estes quase sempre representados pelo Ocidente como fundamentalistas austeros, que nada teriam a ver conosco.

As filmagens aconteceram na cidade de Nablus, em pleno confronto. A equipe passou seis meses correndo risco de vida, rodando em meio ao fogo cruzado e servindo de escudo para militantes palestinos, contra os ataques israelenses. "Eu queria fazer um faroeste na atualidade, nos verdadeiros lugares de tensão", diz Hany. "São áreas fechadas, guetos onde se enfrentam seis, sete horas de fila para cruzar a fronteira debaixo de um sol inclemente."

Uma noite, elenco e técnicos testemunharam um confronto envolvendo tanques e metralhadoras que se estendeu por horas a fio. Encurralados no hotel, deitados no chão do saguão, todos choravam e se arrependiam. "Eu, mesmo apavorado, tive que segurar as pontas, já que era o responsável por ter posto todo mundo naquela situação." Uma cena foi interrompida abruptamente para que as armas emprestadas fossem devolvidas aos verdadeiros donos. Eles precisavam usá-las numa ação ofensiva. No retorno para casa, muitos membros da equipe foram interrogados pela polícia.

Temendo pela segurança de Hany durante a cerimônia de entrega do Oscar, o governo americano designou cinco agentes da CIA para escoltar o diretor nos quatro dias em que ele ficou em Los Angeles. "Era uma situação estranhíssima", lembrou. "É para defender o povo americano de árabes como eu que o aparato de proteção é normalmente acionado."

Estar na pele do inimigo já lhe rendeu chás de cadeira em aeroportos e algumas saias justas. Num voo para Tel Aviv, sentou-se ao lado de uma senhora bem-posta. Aliviada, ela confessou: "Ah, graças a Deus você não é nem preto nem árabe. Não que eu tenha nada contra pretos e árabes, é que eles não cheiram bem". Hany sorriu e respondeu, gentil: "Eu sou palestino". "Ela passou as seis horas de voo sem saber onde enfiar a cara", conta ele.

Hany é um quarentão da cidade de Nazaré à solta no Rio de Janeiro. Está trabalhando na pré-produção de *Onze minutos*, o longa-metragem que vai dirigir, baseado no livro homônimo de Paulo Coelho. O Brasil nunca fez parte de seus planos, e ele quase recusou o convite por ser disléxico. Hany lê com lentidão e costuma passar os roteiros que recebe para a namorada — roteirista e cineasta turca — avaliar. A moça descartou *Onze minutos* por achar que não havia nada ali que pudesse interessá-lo. Estava enganada. Hany se sentiu atraído de imediato pela história de uma brasileira que vira prostituta na Suíça. "A ideia de que alguém faça do próprio corpo uma mercadoria é a oportunidade de falar que, no Ocidente, tudo está à venda. Também me intriga a dificuldade de uma mulher praticar o sexo sem estar excitada, enquanto alguém se excita justamente com isso."

Seu primeiro choque com a sociedade de consumo se deu aos dezoito anos, quando deixou a Palestina e se mudou para a Holanda. Em Amsterdam, conheceu o Red Light District e o capitalismo. Durante seis meses, mal pôde ir às aulas, atordoado com o admirável mundo novo. Tarde demais, percebeu que precisaria arranjar uma desculpa para justificar, para o pai, as faltas na faculdade: "Tentei conseguir uma dispensa com um médico, mas ele me olhou sério e perguntou: 'Que doença eu vou dizer que você teve por seis meses corridos, câncer?'". Hany apelou para a psicanálise, mas desesperou-se ao ouvir do analista que teria que comparecer a, no mínimo, duas sessões por semana. "Frequentei o divã durante dois meses. Repetia que meu pai me mataria se soubesse a verdade; meu pai era um homem muito compreensivo, coitado, mas fiz um quadro terrível dele. No fim, ele me deu o atestado e eu não apareci mais." Abandonou o que considera um luxo burguês.

Em Amsterdam, estudava para ser engenheiro e ganhava a vida na cozinha de restaurantes. Foi preparando saladas que conheceu Wilco, um holandês também saído da adolescência, punk, de cabelo moicano, que tocava numa banda de hard rock. Jovens de esquerda, lavavam pratos, amaldiçoavam o sistema e serviam a burguesia ignara. Um dia, Wilco foi se apresentar no

Uruguai — o pai do cantor da banda, grande astro da música uruguaia, arranjou uma turnê para o filho. Na volta, o amigo roqueiro fez uma parada na Bahia e nunca mais foi o mesmo; cortou o cabelo e arrumou uma namorada brasileira. A baía de Todos os Santos amansou a fera.

Hany odiou a mudança: "Perdi meu companheiro de revolta. O Brasil virou um imperativo. Ele só ouvia MPB e não parava de repetir que eu tinha que vir para cá". Até *Onze minutos*, Wilco tinha sido o mais perto que Hany havia chegado do Brasil. Agora, está aqui há três meses e planeja ficar mais seis.

Uma vez formado em engenharia aeronáutica, prosperou na profissão. Aos 26 anos já ostentava dinheiro, escritório, secretária e duas patentes de invenções que são utilizadas em grandes aviões de carreira até hoje. "Minha área era a fabricação de um material composto de fibras de carbono, leve e extremamente resistente, que serve para fazer quase tudo o que se encontra no interior das cabines", explicou. "Descobri um jeito de diminuir a eletricidade no interior do forno durante o processo de cozimento, adicionando vapor às mantas, e sugeri que se usasse um termômetro de infravermelho para controlar a temperatura. São fornos do tamanho de uma casa. Isso reduziu enormemente o gasto de energia."

Uma confusão afetiva o fez largar tudo e voltar a Nazaré para trabalhar com o pai. Sua casa fica a duzentos metros da residência oficial da Virgem Maria, onde Jesus Cristo cresceu. Lá, conheceu o documentarista político Rashid Masharawi, virou seu assistente e entrou para a sétima arte. O pai não reclamou: "Ele era um homem bom. Se fosse meu filho, teria coberto de porrada".

Em 1948, depois da proclamação do Estado de Israel, a família Abu-Assad escapou do exílio graças a um militar inimigo e à força da Igreja católica em Nazaré. "O comandante local do Exército israelense exigiu uma ordem por escrito para que fosse feita a limpeza étnica em curso no resto da Palestina, mas seus superiores preferiram não oficializar a ação num documento." Como as ordens não foram explicitadas, os soldados não se moveram. A família de Hany abandonou o esconderijo na igreja e voltou para casa. "Os parentes que buscaram asilo em países vizinhos, à espera de que a situação se normalizasse, estão proibidos de entrar na Palestina até hoje", disse. Como ninguém ousa tocar na sagrada Nazaré, ele garante que sua cidade é "o lugar mais seguro do mundo".

Assim como na antiga Roma, os territórios sob ocupação sofreram com a carga extra de impostos. O dinheiro servia para consolidar o poderio de Israel. Ultrajado, o pai de Hany deixou de honrar o fisco, enfrentou inúmeros processos judiciais e perdeu a maior parte de sua fortuna. "Eu cresci irritado com a atitude do meu pai, mas, hoje, acho que ele foi um herói."

Hany passou a infância numa Palestina rural, com direito a galinheiro no quintal e banho de rio. Sua gangue de pivetes gostava de fazer xixi nas pias de água benta das igrejas católicas e de atrapalhar a reza nas mesquitas. O muçulmano tem que rezar uma sequência de preces de uma só vez, sem desviar a atenção. Se algo o interromper, terá que voltar à estaca zero. "A gente segurava uma galinha e esperava o sujeito chegar quase no fim para jogar o bicho em cima dele", conta. "Depois ríamos feito loucos com o desespero do outro. Eu não tinha nada na cabeça, só queria rir, rir até me acabar."

Sua casa ficava perto do lago de Tiberíades, onde Jesus caminhou sobre as águas. Nos últimos anos, a população da cidade de Tiberíades pulou de 30 mil para 200 mil habitantes. Sem planejamento, os hotéis de luxo se multiplicaram, despejando o esgoto no lago. "Qualquer um, hoje, é capaz de caminhar sobre as águas, basta alugar um jet ski."

A insustentabilidade da vida contemporânea é um assunto recorrente nas conversas com Hany. É por meio dela que ele discute a situação do Oriente Médio. Vindo de uma família de classe média — seus irmãos são profissionais liberais —, ver a Palestina ocupada por radicais fundamentalistas jamais o alegrou, nem a nenhum dos Abu-Assad. Eles temem o Hezbollah tanto quanto o Talibã. "Eu tinha a mesma opinião que a minha família até assistir à TV Al-Manar", contou. "É um canal estupendo, com debates de alto nível, raros de se ver em outras redes." Em vez de um discurso xiita, o que Hany ouviu pareceu razoável. "A vida moderna não será viável no futuro próximo", afirmou. "As revoluções tecnológicas demorarão mais tempo para serem implantadas do que a feérica curva ascendente de destruição dos recursos naturais do planeta. Sou engenheiro, sei o que estou dizendo."

O que muitos grupos radicais pregam é o direito de manter sua estrutura social intacta, sem as benesses da modernidade:

Está comprovado que o homem não conseguirá sobreviver se continuar poluindo e gastando da maneira como está. A Palestina sobrevive há milênios comendo o que planta e criando cabras, é uma sociedade autossustentável. É preciso lutar para preservar os hábitos na região, do contrário ela ficará dependente do mercado externo e será varrida da Terra como os demais povos. Se o homem encontrar uma saída para essa encruzilhada, se a civilização baseada no consumo triunfar, tudo bem, nos entregaremos a ela. Mas nos deixem existir à nossa maneira. Talvez seja a única capaz de suportar as mudanças que estão por vir.

Querendo reduzir ao máximo sua contribuição para a degradação do meio ambiente, Hany parou de usar xampu. Um ambientalista holandês ironizou suas pretensões. "Ele me disse que um filme é mais poluente do que dez anos de xampu na cabeça. Ele tem razão. Pense na quantidade de carros, folhas de papel, agentes químicos para revelar a película. E nos aviões, garrafas PET e energia elétrica."

Onde o Ocidente enxerga progresso, Hany vê a manipulação de pensamento. "Somos levados a acreditar que precisamos comprar para sermos felizes. O poder de um homem está ligado ao que ele possui. Tudo para mover uma gigantesca máquina de dinheiro e comércio. Quando eu cheguei à Europa, em 1981, era de mau gosto o sujeito ter ambições. Em trinta anos, tudo mudou", disse. "O mundo árabe luta para expulsar um invasor de seus domínios e se recusa a aceitar o *American way of life*. O que há de condenável nisso?", indaga. "A propaganda transformou os Estados Unidos na grande nação sofredora. Do rei fez-se a vítima. É uma distorção absurda."

Ateu convicto, crê que as promessas do comunismo não têm nenhuma chance quando comparadas às vantagens capitalistas:

O comunismo e o capitalismo disputam o posto de melhor organização sociopolítica do planeta. Acontece que o capitalismo é o melhor sistema de recompensa terrena que o homem já inventou. Já o julgamento divino e a vida eterna são as únicas armas capazes de fazer frente aos valores burgueses do capital. O paraíso post mortem é pilar da luta palestina. Para os que creem nele, as vantagens são tentadoras: rios de bebida alcoólica, centenas de virgens esperando a hora de se tornarem mulheres e a chance de pecar sem ser castigado.

O mundo onírico é a resposta à fartura terrena da globalização e Alá, o maior aliado da militância árabe na guerra santa do século XXI.

Hany desistiu da religião ainda muito jovem. Foi no dia em que sua mãe o flagrou, em plena puberdade, entregue aos prazeres de Onan. Ela bateu em suas mãos com vigor e disse que nunca mais repetisse o ato impuro, pois, do contrário, "queimaria nas chamas do inferno". Impressionado, o menino passou a viver dividido entre o clamor do sexo solitário e a promessa de salvação na vida eterna. "Numa noite, atormentado pelos hormônios, e já sentindo o chamuscar da danação, fui tomado por um pensamento revelador: e se Deus não existir?, pensei." A ideia trouxe alívio. Hany matou Deus e conseguiu virar homem.

Conversar com esse palestino é como ver o Ocidente pelo avesso. Ele não festeja a eleição de Obama, e resume:

Bush é a verdadeira face da América. Obama é Bush com vaselina. Mesmo que bem-intencionado, não depende da vontade de um presidente mudar relações de poder arraigadas. A França e a Inglaterra traçaram um plano para controlar o petróleo no Oriente Médio cem anos atrás. Está documentado, no Acordo Sykes-Picot, assinado no dia 16 de maio de 1916. A técnica utilizada foi a de dividir para conquistar. A Arábia foi esquartejada em países fictícios, entregues a tribos rivais entre si. Os chefes das tribos foram consagrados reis com a mesma caneta usada para assinar o acordo. Obviamente, os soberanos se mantiveram fiéis aos interesses de fora, que os colocaram no poder. Viramos um barril de pólvora.

Paradise Now lhe abriu as portas de Hollywood, o quartel-general do opressor. Hany dispõe de agentes, advogados, e recebe propostas para dirigir filmes internacionais. Na roleta dos estúdios de Los Angeles, já esteve perto de fechar projetos grandes. A greve dos roteiristas interrompeu a realização de um filme com Nicolas Cage. Hany estava de malas prontas para o início das filmagens, em Berlim. "Costumo trabalhar com improvisação e aleguei que não precisaria de um roteirista. Caso necessário, criaria os diálogos na hora, com os atores." Mas explicaram que ele não poderia mudar nem uma linha do script. "Quem checaria a mudança na tela?", argumentou. A resposta dos produtores foi definitiva: "Eles me disseram que isso seria uma traição maior do que me plantar numa praça na Faixa de Gaza e gritar 'Viva Israel!'".

O primeiro convite americano que recebeu foi para participar de uma série de filmes a respeito da visão do estrangeiro sobre a América. Hany esboçou a história de um grande ator shakespeariano egípcio — um Paulo Autran das arábias — que é convidado para filmar em Los Angeles. Ao desembarcar, descobre que cabe a ele o papel de um homem mau, muito mau, que deve encher Jennifer Lopez de pancadas. "Seria um filme sobre esse ator perdido entre os dois mundos: o Egito, onde é alguém perto de Deus, e Hollywood, onde não é ninguém." O projeto não foi adiante porque a produtora faliu durante seu desenvolvimento.

Ele chegou a escrever a cena em que o ator receberia treinamento para falar com Spielberg sem cometer deslizes. "Isso acabou me acontecendo", disse. Hany ensaiou por quatro horas para uma entrevista com Tom Cruise. Passou no teste, mas o financeiro barrou, "disseram que se algo desse errado num projeto de 90 milhões de dólares estrelado por Cruise, mesmo que fosse um pequeno problema na cor usada no cartaz, a culpa cairia sobre o diretor palestino de vanguarda, que só tinha experiência com orçamentos de 4 milhões". Angelina Jolie acabou estrelando a película no lugar de Tom Cruise, sem Hany na direção.

Está acertado que Mickey Rourke e Vincent Cassel atuarão em *Onze minutos*. Ele deseja filmar de outubro a dezembro, com uma equipe brasileira. No momento, os produtores correm para fechar os acordos financeiros. Com a crise mundial, os bancos estão mais cautelosos em liberar os adiantamentos que viabilizam a produção. Até este ano, o mercado aceitava a promessa de venda para outros países como garantia do valor levantado. Não mais.

O tempo de espera no outono carioca provocou mudanças no palestino. Ele entende o que aconteceu com Wilco, o amigo punk, e nota que o Brasil tem lhe causado um relaxamento prazeroso. "A Europa é fria no que diz respeito às relações humanas. As mulheres te dispensam com crueldade, são extremamente centradas em suas idiossincrasias. Ninguém toca em ninguém." Ele reconhece que

é complicado generalizar. Um europeu pode ser muito caloroso na seriedade com que te ajuda, se por acaso aceitar te ajudar. Aqui, percebo que todos se dispõem a te dar uma mão, te confortam, mesmo que dali a dois dias esqueçam o que disseram. Só que, às vezes, a gente precisa é de colo. Essa solidariedade vacilante não deixa de ser útil. Talvez o europeu seja um povo mais sério e mais culpado. Vocês não têm culpa nenhuma.

Um guarda, no Brasil, é subornável porque achamos normal resolver direto no pessoal, argumentei. Da mesma maneira, um juiz solta um corrupto porque é da sua corriola e absolve um criminoso porque ele é um homem importante. "Mas eu tenho mais medo da violência das leis e do Estado do que do caos daqui", respondeu Hany. "Tenho medo da ordem que privatiza as cadeias e permite que se lucre com o sistema penitenciário. Se os Estados Unidos querem te processar, eles te obrigam a contratar um advogado para que todos saiam lucrando. Prender um homem nos Estados Unidos é lucrativo, isso não me parece direito." Segundo ele, o mundo árabe é parecido com o nosso no que se refere à pessoalidade das relações e ao calor humano. "A diferença é que no Brasil não existe repressão sexual."

"Às vezes me pergunto o que é mais cruel: usar o véu para

se cobrir ou ser obrigada a aparentar eternamente vinte anos? Vejo uma grande ansiedade nas mulheres independentes de hoje. Elas jamais alcançarão o ideal de beleza estampado nas revistas e sofrem com isso." Nessa lógica, a disseminação da cirurgia plástica, o uso indiscriminado de Botox, Restylane e ácidos retinoicos, os milhões de tratamentos custosos para manter a juventude seriam tão abomináveis quanto a burca.

"A burca é uma bênção para as mulheres feias", provoca.

A argumentação faz sentido, quando se pensa na quantidade de pré-adolescentes na fila do implante de silicone. "É claro que você pode sempre argumentar que aqui existe a livre escolha. Mas essa liberdade é pura ficção; o que existe é um outro tipo de escravidão." O Brasil vive no centro da febre, mas não deixa de ter encantos para Hany. "Pode parecer um estereótipo de gringo, mas este é um país sensual. As mulheres andam de biquíni nas ruas, as pessoas sorriem, se abraçam, se beijam, beijam estranhos ao se cumprimentarem. Aqui ainda é possível sentir amor pelos outros."

Curiosa declaração, vinda de alguém que se define como um ex-comunista em vias de se tornar radical.

Toquei para ele a velha marchinha carnavalesca que fala de Alá. Ficou surpreso. E fez planos para tocá-la em emissoras de rádio de Nazaré.

Alá-lá-ô ô ô ô ô ô
Mas que calor ô ô ô ô ô ô
Atravessamos o deserto do Saara
O sol estava quente e queimou a nossa cara
Alá-lá-ô ô ô ô ô ô
Mas que calor ô ô ô ô ô ô

Viemos do Egito
E muitas vezes nós tivemos que rezar
Alá! Alá! Alá, meu bom Alá
Mande água pra ioiô
Mande água pra iaiá
Alá, meu bom Alá

Jane Eyre

Trabalho num roteiro de terror. A conselho materno, alu-guei uma adaptação de 2011 do romance de Charlotte Brontë, *Jane Eyre*, que poderia servir de referência.

O filme tem direção segura de Cary Fukunaga, uma baita fotografia do brasileiro Adriano Goldman, e traz Michael Fass-bender e Judi Dench no elenco. Não li o livro, mas percebe-se na dubiedade, na crueza e no desamparo dos personagens a boa literatura.

Seduzida pelo patrão e aprisionada à posição de serva, Eyre diz se dirigir não à pessoa do poderoso Rochester, mas ao seu espírito. "É o meu espírito que fala ao seu", afirma ela, eliminan-do, entre os dois, as barreiras sociais, os impedimentos formais e a cerimônia entre gêneros.

A igualdade nas relações entre senhor e escravo, homem e mulher, sustenta o duelo verbal. Para alcançá-lo, é preciso falar ao espírito. Michael Fassbender é um ator vertical. Seu Roches-ter é vil, apavorante, e não menos violento quando apaixonado. Ataca baixo e pausadamente a longa fala em que confessa sentir-

-se atado a Eyre por um fio ligado ao plexo, que teme que a distância arrebente, deixando aberta uma ferida incurável.

Ninguém diz isso a passeio. É preciso estar imbuído de alguma grandeza, ser capaz de delinear a vastidão da dependência amorosa sem cair em choros fúteis. Cabe ao intérprete investir no caráter trágico, viril do Romantismo.

Orson Welles, em 1943, foi o Rochester de Joan Fontaine. William Hurt fez a versão de 1996, de Franco Zeffirelli, ao lado de Charlotte Gainsbourg. Fui atrás de Welles, mas só encontrei trechos na internet — na falta, me contentei com Hurt.

Vale o exercício. Assista a Fassbender, Welles e, depois, Hurt.

Welles é louco, tem a coragem do canastrão, a voz de um cantor de ópera e a esperteza do gênio. É dele o melhor beijo final, um primor de voracidade, que Fassbender, contrariamente a todas as expectativas, executa reservado e cortês.

Hurt age como se estranhasse o próprio castelo. Nota-se que não é nobre e muito menos inglês. Faz de Rochester um homem amuado, ranzinza e abatido.

De cócoras, abraçado aos joelhos em posição fetal, dá as costas para Eyre, enquanto declama indefeso a jura de amor sobre o fio que o liga à jovem preceptora.

Gainsbourg tem mais pena do que desejo por Hurt. Falta aristocracia ao ator e sobra autopiedade burguesa.

Minha mãe costuma dizer que, com raras exceções, os americanos tendem a ser cronísticos. Não há transcendência, segundo ela, se chamar um psicanalista acaba com o problema dramático. A melancolia do Rochester de Hurt estaria curada com o auxílio de um antidepressivo. A fúria de Welles e Fassbender, não.

Essa divisão entre o que é crônica, trama, e o que é páthos, drama, norteia o julgamento crítico de dona Fernanda. E com ela fui assistir a A hora mais escura, de Kathryn Bigelow.

O filme busca a neutralidade dos fatos. É jornalístico. Faz a retrospectiva dos dez anos que levaram até a captura de Osama bin Laden, encena torturas e atentados realistas, além de uma impressionante reconstituição da emboscada ao esconderijo do terrorista. Mas os cabelos anelados da protagonista, alisados na chapinha na passagem de tempo, denunciam a frieza da obra.

Existe um quê de *24 horas*, de *Supremacia Bourne*, em *A hora mais escura*. Sua eficiência narrativa satisfaz, e muito, o meu apreço por filmes de ação; mas carece de uma visão humana da guerra santa.

Falta o Romantismo.

O que Rochester diz a Eyre bem caberia na boca do torturador. "Você não é naturalmente austera, não mais do que eu naturalmente vil." Ou do torturado. "Você é capaz de se dirigir a mim como a um igual?"

Talvez por isso a cena em que a agente olha o cadáver do homem que procura há uma década, que ordenou a morte de milhares de pessoas e acabou com a vida de muitos de seus amigos, surge protocolar. Ela está certa no lugar em que está, é bem enquadrada, sóbria, econômica, mas não há catarse.

Falta a doença do Romantismo.

Bráulio é Pau Brasil

Nos idos de 1999, um micro-ônibus lotado de roteiristas nacionais e estrangeiros descia a serra do Mar para mais um laboratório de roteiros cinematográficos, promovido pelo Sundance Institute. Uns trinta quilômetros depois de Cubatão, o motorista virou à direita, abandonando a estrada rumo ao belo Litoral Norte paulista, e se encaminhou para a inóspita praia de Bertioga, onde, séculos atrás, o alemão Hans Staden quase foi devorado por canibais tupinambás.

O real havia sofrido a primeira grande desvalorização do mandarinato tucano. Com isso, o Laboratório de Roteiros foi transferido da pitoresca Paraty para o Centro de Convivência da Terceira Idade, gentilmente cedido pelo Sesc Bertioga.

Fui parar ali com o meu irmão, Cláudio Torres, e o roteiro de *Redentor*. De noite, no quarto singelo, me lembrei dos jesuítas portugueses que, na época de Hans Staden, subiram a mesma serra que acabáramos de descer, na esperança de catequizar os índios carijós. E comparei a iniciativa do criador do Sundance, Robert Redford, com a das missões. Ao contrário das tribos vizinhas, os carijós eram facilmente domesticáveis, praticavam o plantio e não traçavam carne de gente. Ocupavam uma área que ia de São Paulo a Santa Catarina, onde eram caçados por mercadores de escravos. Como a oferta de bugres propensos à catequização era exígua, os missionários centraram as preces na tribo. Do nosso grupo, um Carijó se destacava: Bráulio Mantovani. De tão discreto, parecia invisível. Trazia consigo a primeira versão do roteiro de *Cidade de Deus*, adaptação do livro homônimo de Paulo Lins, que seria dirigido por Fernando Meirelles. Estava surpreso por ter sido aceito, fizera um rascunho às pressas, tinha certeza de que seria recusado. Tanta, que não quis nem preencher a ficha de inscrição; Meirelles fez isso por ele.

Com a mesma relutância, inscreveu o tratamento num concurso do Canal Brasil, em parceria com o Writers Guild Association — o sindicato dos roteiristas dos Estados Unidos e seção latino-americana da Motion Picture Association. O concurso lhe rendeu 6 mil reais de prêmio pelo primeiro lugar entre os duzentos roteiros inscritos. Com o dinheiro, pagou a operação para corrigir seus quatro graus e meio de miopia e conquistou a alegria de, durante o banho, ver os pés em foco pela primeira vez.

O que veio a seguir todo mundo conhece: *Cidade de Deus* arrebatou prêmios e plateias por onde passou, virou referência de cinema no Brasil e acabou indicado às principais categorias do Oscar, inclusive a de roteiro adaptado. Três anos depois de Bertioga, Bráulio tomaria assento na cobiçada fila D do Dorothy Chandler Pavilion, em Los Angeles. Certo de que não levaria o troféu, desfrutou relaxadamente da visita oficial à corte.

A versão final de *Cidade de Deus* guarda muito daquela primeira, cuspida em dois meses. A perseguição da galinha, por exemplo, nunca saiu do lugar onde esteve. A ideia surgiu de um capítulo do original que é narrado do ponto de vista de um galo. Bráulio se lembrou de um filme dos primórdios do cinema, em que o rosto de um homem sem expressão era entrecortado de imagens de um prato de comida, uma briga e um caixão. Os cortes provocam uma associação entre as imagens e o rosto, conferindo ao ator sentimentos que nunca estiveram ali: fome, raiva e pesar. O efeito de montagem foi batizado com o nome do diretor que o inventou, Kulechov. Bráulio sugeriu que se fizesse o mesmo com a cara da galinha e abriu o filme com a perseguição.

Depois do furacão *Cidade de Deus*, os boatos em torno do seu futuro incluíam roteiros para Brad Pitt e uma casa em Malibu. Bráulio teria vencido a misteriosa barreira que separa o Brasil do resto da humanidade.

Sempre me chamou a atenção a quantidade de argentinos, peruanos e mexicanos que ocupam cargos de chefia no circuito internacional das artes. Jamais encontrei um brasileiro. Eu não sabia se Bráulio era um Carijó autêntico, educado pelo MEC, ou um mestiço de inglês, desses bilíngues de nascença.

Jantamos em São Paulo. A patricinha de Beverly Hills era eu.

Ele não só foi educado 100% em português como cursou a Escola Estadual Professora Celeste Sonnwend. "Olha o nome que eu tive que aprender aos sete anos", avalia. Escola pública, pois. Seu pai, Carlos Mantovani, foi torneiro mecânico e só completou o primário. A mãe, Dirce, largou a fábrica para cuidar dos filhos: ele e a irmã, Élida, hoje professora de filosofia. A família morava numa casa pequena, de quarto, sala e cozinha, na rua Drava, no Ipiranga. O casal decidiu que os filhos teriam a educação que eles não puderam ter; não pensavam em faculdade, mas sim num curso técnico, para garantir logo uma profissão. Bráulio passou na seleção para a cobiçada Escola Técnica de São Bernardo, da qual, "apesar do medíocre talento para a matemática", saiu formado em eletrotécnica. A recompensa, assegurada pelo esforço dos pais, foi não ter que trabalhar como office boy durante o dia, sina da maioria de seus colegas.

Mais tarde, a especialização lhe garantiu o emprego de professor num curso de eletricidade promovido pelo Sindicato dos Metalúrgicos de São Bernardo — cidade para onde a família se mudou quando ele fez quinze anos. Seu Carlos trabalhou na Mercedes-Benz e mora na cidade até hoje.

Bráulio é filho legítimo das tabas do ABC.

No livro *Freakonomics*, Steven Levitt e Stephen Dubner citam uma pesquisa feita nos Estados Unidos para descobrir as razões que levam ao bom desempenho na escola. O estudo demonstra que os alunos bem-sucedidos possuíam livros em casa. A simples presença do objeto ajudava no desenvolvimento intelectual do estudante. Muito antes do *Freakonomics*, os pais do Bráulio já enchiam a casa de coleções que não liam mas que os filhos poderiam ler. A enciclopédia em fascículos *Conhecer* se tornou a paixão de Bráulio, com suas ilustrações coloridas que repetiam as funções fisiológicas do corpo humano, empregando metáforas do cotidiano. O cérebro era uma junta de cientistas, as pernas, dois guindastes enormes.

No terceiro ano primário a professora chamou-o num canto para que ele confessasse quem havia escrito a redação do dever de casa, se o pai ou a mãe. O menino era um fenômeno em português. Aprendeu análise sintática — aquele horror — sozinho. Aos treze anos, ameaçou virar escritor. Preocupado, e quem sabe arrependido, seu Carlos reavaliou o investimento na biblioteca.

Bráulio devorou quadrinhos até os 26 anos. Na oitava série, as redações inspiradas o fizeram popular entre os colegas. A flor do Lácio o salvou da timidez atávica, da constituição franzina e do vexame no futebol. Para grande decepção do pai, craque de carteirinha, o filho nasceu perna de pau; assunto abertamente discutido nas rodas familiares. Acabou goleiro, míope e astigmático.

Foi um adolescente travado, que perpetrava poemas. Só não apanhou porque era primo de um rapaz cuja lembrança, diga-se, o ajudou na hora de escrever o roteiro de *Cidade de Deus*. "O nome dele era Abraão, filho de uma prima da minha mãe", recorda. "Não era nenhum Zé Pequeno, mas metia medo e andava armado. Não sei se roubava ou traficava. A mãe aparecia lá em casa, chorando, toda vez que ele era preso. Morreu jovem, de aids." A molecada só refreava a vontade de cobrir de porrada o poetinha porque alguém sempre gritava: "Para! Para que ele é primo do Abraão!".

Um dia, foi com um amigo assistir à apresentação de um grupo de teatro de rua. "Não sei que demônio me empurrou", diz. A peça contava com a colaboração do público e, quando Bráulio percebeu, já havia aceitado o papel de trocador e vendia bilhetes imaginários. Foi uma epifania. "Quebrei o cabaço", comenta ele, e entrou para o grupo.

A Federação Andreense de Teatro Amador, que englobava todo o ABC, promovia palestras com gente como Gianfrancesco Guarnieri e José Celso Martinez Corrêa. O grupo de Bráulio era anarquista e Zé Celso foi tomado de encantos quando os viu desafiar o público. Na saída, foram convidados a se juntar ao sacrossanto Oficina. A convivência transformou o diretor amador num clone de Zé Celso. Bráulio se deu conta da simbiose e a cooperativa se desfez.

Dali, foi um pulo para o teatro engajado. Rezou muito pela cartilha de Bertolt Brecht no ABCD Grupo Teatral — organizado por uma associação de jornalistas, por sua vez ligada a um dos grupos que fundou o PT. Havia trotskistas, leninistas, ex-stalinistas, tudo gente séria. O ABCD foi o único a optar por uma comédia em sua estreia. Era um texto argentino sobre um homem desempregado que aceita a vaga de cão de guarda. Bráulio nunca foi chegado à esquerda tradicional, se via mais como um anarquista desimpedido.

Acabado o curso técnico, anunciou a humilde vontade de

virar professor de português. O sonho de ser escritor desaparecera junto com a adolescência. Aliviados, seu Carlos e dona Dirce matricularam o filho no curso de letras na PUC. Mas Bráulio levou o teatro para dentro da faculdade, fundou a companhia Cambalache — "em homenagem ao tango anarquista" — e se dedicou às performances estudantis. A namorada de então garantia que ele só fazia isso pra poder tirar a roupa em público. Carijó autêntico, Bráulio gostava de andar pelado.

Ainda na faculdade, escreveu e dirigiu *Fernando Pessoa: de quem doeu além do meu*, representada nos escombros do Teatro Tuca, recém-destruído por um incêndio. E *Lusíadas or not Lusíadas?*, com estreia no Teatro Sérgio Cardoso. O ex-tímido foi Baco e acabou recebendo a primeira crítica elogiosa, como ator, na temida *Folha de S.Paulo* dos anos 1980.

O cinema entrou na sua vida por meio de uma amiga, Maria Bacellar, casada com Adilson Ruiz, cineasta, diretor de fotografia de filmes do João Batista de Andrade. Com Ruiz, Bráulio aprendeu o básico: fez câmera, montagem e escreveu seu primeiro roteiro supercabeça, baseado nos *Fragmentos de um discurso amoroso*, de Roland Barthes. "O filme ganhou todos os prêmios no Festival de Gramado, menos o de roteiro", conta.

Para pagar as contas, trabalhou como revisor de texto para agências de publicidade, editoras e foi redator do Telecurso 2000 — onde conheceu Marcelo Tas e Fernando Meirelles, responsáveis pela produtora independente Olhar Eletrônico. Mal saído da faculdade, mandou o currículo para a *Folha de S.Paulo*. Em duas semanas virou editor assistente da Ilustrada.

"O José Simão estava arrancando os cabelos, não aguentava mais fazer fechamento e abandonou o cargo para virar o Macaco Simão", lembra. Ofereceram o posto ao novato, que olhou para o estado do antecessor e recusou o convite. Cooptado pelo dinheiro — lhe dobraram o salário —, pediu para sair depois de seis meses no cargo. Estava igual ao José Simão. Ficou só como colaborador.

"Odiei ser jornalista, não volto para essa vida nem a pau", garante. Mas algo ficou dos seus tempos de redação. Bráulio tem o humor ácido e a empáfia modesta dos homens da imprensa, além de se vestir como tal. Mora nele o jornalista, o sujeito oculto deste perfil.

Numa entrevista com Gerald Thomas para a *Folha*, soube que o diretor iria montar Nelson Rodrigues no teatro La Mamma, em Nova York, e pediu para fazer assistência como estagiário. No inverno de 1989, Bráulio juntou o que tinha e entrou num avião. O projeto melou, mas Gerald conseguiu que o La Mamma oferecesse um pouso para o amigo em Manhattan.

Ele arrumou uma namorada e fez faxina para sobreviver. Um dia, na caradura, ligou para o estúdio de Zbig Rybczynski, um diretor polonês de filmes experimentais que causava furor. O produtor foi simpático e disse que aparecesse, era o primeiro dia de filmagem. Naquela tarde, ajudou a carregar o cabo da câmera; na semana seguinte, foi contratado como assistente de produção; mais tarde, de câmera, e em seis meses, para inveja dos Carijó antenados de São Paulo, galgou a assistência de direção da lenda viva (e impronunciável) do cinema experimental.

Ficou dois anos em Nova York, até que a Guerra do Golfo estourou e o trabalho no estúdio o aborreceu — "Odeio set de filmagem, queria voltar para a escrita". A namorada, estudante de moda, preferiu Madri, e Bráulio cruzou o Atlântico para mais dois anos de exílio. "Cheguei em Madri disposto a estudar e escrever", lembra. Conseguiu uma bolsa para cursar um mestrado para roteiristas na Universidade Autónoma. "Analisávamos filme atrás de filme, sempre do ponto de vista do roteirista."

Arranjou emprego numa produtora, escrevia documentários com um espanhol mais ou menos aceitável, até que chegou o verão e a Espanha parou. Os trabalhos foram caindo um a um. "Havia muito desemprego", lembra, "25% da população ativa não tinha trabalho." O dinheiro minguou e o aluguel virou problema. O casal terminou seus dias *sin plata*, numa aldeia de duzentos habitantes perto de um vilarejo chamado León, a trezentos quilômetros da capital. "Não havia nada para fazer ali, mas foram meses de muita felicidade."

Lá, Bráulio descobriu o ócio criativo. Leu quase todas as peças de August Strindberg e teve tempo para se dedicar a si mesmo. Influenciado pelo dramaturgo sueco, escreveu uma peça com o estranho título de *Menecma*. "É um sinônimo obscuro da palavra 'sósia'; vem de uma comédia de Plauto, nunca li a comédia; achei a palavra por acaso no dicionário." Poucos amigos leram esse texto, mas *Menecma* seria vital para a carreira do autor.

Em 1992, o casal fez as malas e o Carijó voltou para a Sé.

Além da peça de teatro, Bráulio tem um romance inacabado na prateleira, mas só investe em uma coisa de cada vez. "Acho que sou 'mono', não consigo trabalhar para os outros e para mim ao mesmo tempo." Ele parte sempre de uma determinada situação e vê aonde a história vai levar. Nunca imagina o roteiro de cabo a rabo. As improvisações o ensinaram a se colocar na pele dos outros e jogar. Sua técnica deve muito ao teatro.

Ao retornar de Madri, Fernando Meirelles leu *Menecma* e o chamou para ser o roteirista de *Cidade de Deus*. "O Fernando foi muito corajoso de me chamar, eu nunca tinha escrito um longa", reconhece.

Bráulio se lançou num métier para o qual não havia demanda. Com raras exceções — Leopoldo Serran, Jorge Durán —, os diretores roteirizavam seus próprios filmes. "Sempre me pareceu estranho servir apenas de veículo para a vontade do diretor."

O encontro de Bráulio com Fernando lembra o de Walter Salles e Daniela Thomas, em *Terra estrangeira*. A nova geração de cineastas, que despontou após a hecatombe da Embrafilme, aprendeu a fazer filmes pelas beiradas. A Video Filmes, de Walter, e a O2, de Fernando, produziam programas de televisão, documentários e comerciais, mas faltava aos dois a experiência em dramaturgia. Daniela e Bráulio conheciam o processo de criação teatral e desenvolveram métodos de ensaios de mesa e participação do elenco no ajuste fino dos tratamentos.

A tradição iconoclasta, simbólica, a síndrome de explicar o país, deu lugar a um cinema ligado à trama, à pequena parábola humana que, se bem contada, serve de exemplo para a experiência universal. Adeus, Clóvis Bornay de Pedro Álvares Cabral, adeus, mulheres nuas correndo sem razão por praias desertas.

Nos rendemos ao realismo.

Cidade de Deus é a tradução de um cinema maduro, com história, atores, diretor, fotografia, montagem. É um filme livre, apesar das amarras, que introduziu a favela como cenário simbólico, no lugar do sertão do Cinema Novo.

"Rrronalldínio!", "Kakaaa!", "Rrroubínio!", disse o motorista de táxi londrino, depois de indagar sobre o meu país de origem. Ele era de Gana, adorava futebol, mas quando descobriu que eu era atriz, mandou na lata: "*City of God! City of God!*".

Bráulio e Fernando Meirelles retomariam a parceria num filme chamado *Intolerância*. Ele revela que tem orgulho de ter concluído o roteiro complexo, passado em diversas partes do mundo. Mas, no cassino Hollywood, a lei de oferta e procura é tamanha, que é comum ver ideias parecidas surgirem simultaneamente, em projetos diferentes. O livro de Truman Capote *A sangue-frio* ganhou duas versões recentes: *Capote* e *Infamous*. Com *Intolerância* aconteceu o mesmo. Um ano depois do roteiro pronto — enquanto Meirelles rodava *O jardineiro fiel* — três outras películas, *Syriana, Paradise Now* e *Babel*, entraram em produção. "Se você juntar os três e colocar ao lado do *Intolerância*, pode até achar que é plágio", diz. O projeto foi adiado indefinidamente.

O mesmo aconteceu com um drama de ação que lhe foi encomendado por Brad Pitt, sobre a história verdadeira de dois contrabandistas americanos de diamantes, perdidos na guerra civil de Serra Leoa. No meio do desenvolvimento, descobriu-se que havia outro filme sobre o mesmo tema circulando pelos estúdios.

"Durante um ano, competi com esse roteiro que já estava pronto", conta. E só foi adiante porque os produtores acreditavam que, além de Pitt, tinham na mão uma história melhor que a do concorrente. "Só fizeram uma ressalva. Disseram que os personagens africanos estavam estupendos, mas que os americanos eram muito estereotipados." Enquanto reescrevia, recebeu a notícia de que Leonardo DiCaprio havia aceitado o papel em *Diamante de sangue*. O projeto com Brad Pitt foi parar na gaveta.

Criar americanos estereotipados é um problema sério para quem tem chances na indústria internacional. Bráulio já escreveu em inglês, catando palavra em dicionário, mas aprendeu a lição: "Escrevo em português e mando traduzir". Mas a questão vai além do domínio do idioma. "Quando disseram que meus americanos eram estereotipados, eu não tinha nenhuma ideia do que fazer para humanizá-los."

É o estranhamento entre a visão de cada povo; a barreira invisível que separa uma cultura da outra.

Bráulio é um dos poucos brasileiros com chance de emprego fora. Diz estar numa "posição marginal bastante confortável", a mesma que o deixou relaxado na fila D do Dorothy Chandler Pavilion. Ele tem prestígio, mas não é uma estrela. Recebe propostas de filmes gauches, justamente os que o interessam.

"Há muita gente inteligente e culta em Hollywood, pessoas que querem fazer algo além do filme-pipoca", afirma. Quando trabalha para um estúdio, dá-se o direito de correr riscos, de ousar na narrativa, porque, na maioria das vezes, os projetos são pequenos, com menos exigências comerciais. "Ninguém arriscaria muitos dólares em um roteiro meu. A minha vantagem em Hollywood é não querer ser um roteirista de Hollywood."

Em fevereiro, a *Variety* publicou uma nota contando que a Universal Pictures e a Imagine Entertainment contrataram Bráulio para escrever um guião, baseado num artigo publicado na revista *Esquire*, sobre o ataque de rebeldes tchetchenos a uma escola em Beslan, na Rússia. Será falado em russo e em tchetcheno, com atores amadores e nenhum astro internacional. O diretor Oliver Hirschbiegel é o mesmo de *A queda*. "Ele é um cara tão legal quanto o Fernando", diz, e é o que parece importar.

"Bráulio", como se sabe, é um dos apelidos do pinto. Coisa chata. "Sofri muito na adolescência." Quando o Ministério da Saúde lançou uma campanha de camisinha em que o falo era explicitamente chamado de "Bráulio", a *Folha de S.Paulo* telefonou para vários Bráulios, para saber o tamanho do inconveniente, mas o trauma já havia sido superado. "Eu sou um roteirista cara de pau, que bota o pau na mesa e é pau pra toda obra." Para este perfil, ele sugeriu uma foto em nu frontal: "Dois Bráulios em um".

O Bráulio é Pau Brasil.

24 DE JULHO de 2011
Pornochanchada

Acabo de assistir a um concerto da Orquestra Filarmônica da Radio France no Albert Hall de Londres. Eu jamais havia pisado no Maracanãzinho vitoriano e me surpreendi, não só com a qualidade de dois compositores contemporâneos que não conhecia, Pascal Dusapin e Olivier Messiaen, mas também com a popularidade da casa.

Pessoas de jeans e camiseta lotavam os milhares de assentos. Muitos assistiam de pé, como num concerto de rock, provando que a música erudita na Europa é uma tradição tão mundana quanto o futebol.

No avião para cá, li a opinião uníssona das resenhas a respeito de *Cilada.com* de Bruno Mazzeo e José Alvarenga Jr., afirmando que o filme marca o retorno definitivo das pornochanchadas às telas brasileiras.

Cada país tem a tradição cultural que merece e é preciso bendizê-la.

A pornochanchada influenciou o cinema feito no Brasil por quase vinte anos e não me espanta vê-la ressurgir repaginada.

Na ditadura, os cineastas fugidos da perseguição e da censura se infiltraram na Boca do Lixo e produziram o mais bizarro gênero cinematográfico de que se tem notícia, uma mistura de heróis niilistas com mulheres de calcinha: a pornochanchada cabeça.

A bem-sucedida fusão foi a saída para os que almejavam o grande público, bem como para os que pregavam a revolução para as massas.

Giselle é um exemplo fascinante do gênero. Fruto da devassidão da elite abastada, a grã-fina Giselle seduz o pai, a madrasta e o irmão até conhecer uma guerrilheira sapata, com quem descobre a aliança entre o sexo e o amor.

Depois de presenciar o assassinato da amante — metralhada pela repressão durante um encontro clandestino num aparelho —, a moça retorna à perdição da aristocracia. E dá-lhe polca!

O filme, de 1980, é modelo de uma estética que comandou as telas brasileiras até a retomada. Nela, o Cinema Novo, a Boca do Lixo e as chanchadas da Atlântida se mesclavam com a predominância de uma ou outra corrente.

De *Dona Flor* a *Rio Babilônia*, passando por *Eu te amo*, *Xica da Silva*, *Engraçadinha*, inúmeros títulos de nossa filmografia nasceram dessa mistura de escolas.

Depois do deserto criado com o fim da Embrafilme, a tragédia social tomou o lugar do nheco-nheco nas salas de exibição do país. A partir de filmes como *Cidade de Deus* e *Central do Brasil*, os meninos de rua e a violência social substituíram as fornicações nas cachoeiras da Tijuca.

Obedecendo à lei do eterno retorno, era de esperar que um gênero proscrito tão poderoso voltasse a se fazer presente. As comédias burguesas substituíram a onda dos filmes sobre a miséria no gosto da audiência e, assim como nos anos 1970, a sexualização não tardou a acontecer.

O Brasil, ao contrário da Argentina, tem dificuldade de filmar dramas burgueses. Parece que não há tragédia digna de ser contada sobre brasileiros que comem mais de uma vez por dia. A classe média é motivo de riso e perversão por aqui.

Quando eu terminei as filmagens de Os Normais 2 — também dirigido por José Alvarenga Jr. —, descobri que, sem perceber, havíamos feito uma versão atualizada de uma pornochanchada. Afirmo isso sem nenhum desmerecimento ao filme.

Fala-se de Se beber, não case, O virgem de 40 anos e Porky's como influência, mas ninguém cita A superfêmea ou Histórias que nossas babás não contavam.

É preciso lapidar as origens de escracho carnal. Os europeus transformaram canções medievais em sinfonias. O problema é que leva séculos para isso acontecer.

31 DE AGOSTO de 2012
Leila

Quando comecei, uma das motivações que levavam uma atriz a posar nua, além do cachê, era dar provas de ser uma mulher desejada, com coragem suficiente para estar à frente de seu tempo. Heranças de Leila Diniz.

Os nus de hoje chocariam o mais avançado apreciador de então. Há vinte anos, close de rego e lábios, só nas impressões hard-core.

Leila não faria.

A mudança reduziu a presença das divas nas páginas das revistas masculinas. Mais pudicas do que as profissionais do ramo, com raras e louváveis exceções, costumam produzir ensaios mornos, café com leite.

Com a explosão da indústria do sexo explícito, algo parecido ocorreu nas telas. O novo gênero livrou o cinema da obrigação de causar ereções. A distância criada entre a arte e o varejo simplificou o dilema do ser ou não ser Leila Diniz.

Sempre achei que havia uma linha definida entre a mecânica pura do pau-na-buça e o *soft* pornô intelectual *made in Bra-*

zil. Mas, num fim de domingo besta, zapeando na TV, encontrei, no Canal Brasil, é claro, um tesouro da arqueologia. O elo perdido entre a pornochanchada e a pornografia.

Mulheres desnudas riam endiabradas em meio à folhagem de um jardim tropical; algumas bem à vontade, outras nem tanto. Lascivas, abandonavam a mata para atacar um homem de cabelos fartos e barriga descomunal, também pelado, sentado à beira de uma fonte. Numa bacanal angustiante, as possessas empurravam o mastodonte para a água, afogando-o entre guinchos e gargalhadas. Tratava-se de um pesadelo de Carlos Imperial.

Ele, um viúvo deflorador de virgens, vivia consumido entre a perdição do sexo e a culpa pela esposa defunta. As diabas, enviadas pela morta, vinham arrastá-lo para o além.

Em meio à tormenta, o herói seguia o destino de pecador, persuadindo a tia a permanecer no andar de baixo, enquanto subia ao quarto para se deleitar com a sobrinha donzela.

Defendido pela pança, Imperial metia as caras numa xoxota peluda, comum na década de 1970 mas pré-histórica para os padrões atuais. A cabeleira púbica, única barreira a defender a mucosa íntima da panorâmica, se confundia com as madeixas de Imperial. Sentada sobre a fronte do colega, a atriz fingia gostar, mal escondendo a vontade de se ver livre da cena.

Foi chocante. O Imperial é um personagem da minha infância, eu não sabia que ele havia chegado a tanto. Na derradeira cavalgada, a mal dublada falecida gritava sobre a montanha de banha: "Vem, Augusto, goza comigo!". Augusto obedecia e morria de amor.

Como peguei no meio, não entendi se o fim era feliz ou triste. Se a fantasma levava o canalha para as chamas do inferno, ou se o filme era um elogio culpado ao amor conjugal. Não importa: o que impressionava era o arrojo sexual. A obra do Imperial é a fronteira final, o estertor da mistura da Boca do Lixo com o cinema cabeça. A quase pornografia.

Leila não faria.

Ganhei um livro do Roland Barthes chamado *Mitologias*. Barthes abre os trabalhos com um capítulo sobre o telecatch, que ele não chama de luta, mas de pantomima sobre a moral e a justiça. O filme do Imperial não deixa de ter a mesma ambição.

Carlos Imperial teria uma carreira brilhante nos ringues. A encarnação da escrotidão humana. Despido sobre o colchão, assustador debaixo da luz chapada, o tarado personifica a vitória da carne sobre o espírito.

Dali para a frente, só a fornicação.

O julgamento do mensalão é outro divisor de águas.

Diante das acusações de venda de voto, o caixa dois se apresenta como prova de inocência. O custoso marketing eleitoral empurrou a política para essa encruzilhada.

O Supremo enfrenta a mesma questão da comediante, a de conseguir separar o que é arte do que é exploração; no caso, o que é política do que é falta de decoro, ou crime.

É preciso estar atento para o que Leila não faria.

Folhetim

É voz corrente que o melhor da dramaturgia americana se encontra, hoje, na televisão. O custo estratosférico da sétima arte eliminou o risco do *grand écran*. Com raras exceções, os filmes seguem uma receita previsível de explosões, risos, tiros e romance, capaz de atrair o gosto médio do espectador.

O legado de diretores autorais como Scorsese, Cassavetes, Coppola, Kubrick e Polanski, quem diria, vingou como produto não no cinema independente, mas nos seriados de TV. O fim do celuloide destruiu a fronteira que separava o vídeo do cinema. Prevaleceu o vídeo. O detalhe técnico influenciou o processo criativo. O cinema privilegiou o artifício dos efeitos especiais, enquanto a TV se livrou da inferioridade artística, abandonando a herança da radionovela, erguendo a quarta parede e tirando as câmeras da boca de cena.

Um piloto para televisão tem um custo muito menor que o de um longa. Apostam-se menos fichas e, em caso de acerto, os dividendos se perpetuam durante infinitas temporadas.

A balança comercial favorável libertou a autoria. *Breaking*

Bad, *Família Soprano* e *House of Cards* são obras que, apesar de experimentais, virulentas e amorais, obtiveram êxito de audiência.

O longa *A hora mais escura*, de Kathryn Bigelow, baseia-se nos fatos reais que levaram à captura de Osama bin Laden, mas a paranoia novelesca de *Homeland* traduz melhor a realidade da América. Claire Danes, a agente bipolar, encarna o parafuso persecutório da segurança pública, enquanto o herói de guerra, depois de sofrer uma lavagem cerebral do Jihad, descobre Deus em Alá. É um enfoque bem mais instigante do que o da caça ao tesouro de Bigelow.

House of Cards se inspira em Shakespeare para traçar o perfil do Congresso americano. Kevin Spacey faz apartes para a câmera com a elegância de Ricardo III. A relação entre os políticos e a imprensa, as ONGs e as campanhas eleitorais, a ganância da distribuição de cargos, a manipulação da opinião pública, tudo é revelado com clareza educativa.

Impossível assistir a *House of Cards* sem se perguntar o porquê de a política ser um tema tão bissexto na dramaturgia nacional. As pesquisas de opinião afirmam que o brasileiro rejeita o mote, mas será que a aversão não se deve à falta de obras relevantes sobre o assunto?

Por que não retratamos o Congresso à maneira dos americanos, seja para enaltecê-lo, seja para dissecá-lo? A ditadura não ajudou, mas o que nos impede agora?

O Estado tutela a produção cultural do Brasil. As TVs são concessões públicas dependentes da boa relação com o Planalto. Seja lá o partido que ocupe o trono, é preciso manter um bom diálogo para ver seu direito de transmissão assegurado. E o cinema, assim como o teatro, se sustenta graças à renúncia fiscal.

José Padilha promete, no último plano de *Tropa de Elite 2*, chegar a Brasília na sequência da série. O êxito da franquia brinda com esse tipo de liberdade. Mas o tema mereceria o horário nobre da TV, com longos meses para desenvolver a saga de cada facção, cada secretária, cada adjunto de ministro e cada ministro.

Os americanos atingiram um grau de maturidade cívica que lhes permite falar do exercício do poder sem se comprometer com este ou aquele partido. Aqui, parece impossível tocar no assunto sem ofender as partes. Ainda preservamos a herança pessoal, coronelista.

House of Cards é uma aula prática sobre o poder ministrada por um democrata. A série consegue o feito de revirar o bom partido pelo avesso, sem privilegiar os republicanos. Não há ingenuidade ideológica, divisão entre esquerda e direita, bem e mal. A política segue a sua própria agenda moral, mais próxima de Maquiavel que de Marx ou Adam Smith.

No dia em que a política brasileira virar matéria de ficção, a democracia terá dado um passo importante por aqui.

Caso aconteça o milagre, o PMDB será o partido mais indicado para protagonizar um folhetim dessa natureza. O PMDB exerce a política por excelência; ocupa todos os cargos estratégicos e participa de todas as decisões importantes, ditando a agenda do rei.

O PMDB é o genérico, o caráter puro da política brasileira. Daria um novelão.

PECADO CAPITAL

No Carnaval de 1995, ano em que a Mangueira homenageou a ilha de Fernando de Noronha. "Eu vinha fantasiada de mata, com um esplendor de jacaré que não coube na foto e um lagarto colado no corpo, esse, sim, bem visível na parte inferior."

31 DE MAIO de 2010

Parecer ser ou não ser

Desde as eleições americanas de 1961, quando Richard Nixon perdeu a disputa para a boniteza de John Kennedy, não basta apenas ser, é preciso parecer ser o candidato que os outros esperam que você seja.

Nesse sentido, é de tirar o chapéu a maneira obstinada como Dilma lidou com as próprias imperfeições. Foram-se os óculos, os sapatos e as roupas; carregaram na maquiagem, suavizaram as rugas, exigiram que aprendesse a sorrir e a quase não se irritar. Como se não bastasse, Dilma enfrentou o tratamento de um linfoma durante a campanha, com uma dignidade rara.

Com os números subindo nas pesquisas, fica a dúvida se o Pigmalião PT se dará por satisfeito com a Galateia. Se depender do entusiasmo do correligionário que gritava no jornal: "A Dilma está linda! Linda!", não há como superar a perfeição.

O rosto severo de ministra é tão datado, hoje, quanto a foto de sua carteira de identidade dos tempos da ditadura. A insegurança está ficando para trás, junto com a antiga aparência.

Experimentos neurológicos demonstram que um sorriso artificial é capaz de detonar uma real sensação de felicidade; assim como uma carranca infeliz pode causar depressão.

Quando, em 2002, Duda Mendonça criou o Lulinha Paz e Amor, talvez não tivesse consciência do quanto o personagem se apropriaria do dono. Estive com Lula num encontro com artistas, durante a disputa com Fernando Collor. Lula sempre foi carismático, mas parecia fechado, sisudo. Anos mais tarde, logo após a sua eleição, fui apresentar o filme *Redentor* no Palácio da Alvorada. É claro que o presidente estava aliviado, feliz, vencedor; e é lógico que todos esses sentimentos agiam sobre seu rosto. Mas o que impressionava era a elegância de Lula. A autoestima ajudava, mas também um trato burguês: da pele viçosa ao terno bem cortado, dos cabelos aparados ao tratamento dentário.

Acredito que os artifícios usados em Dilma já estejam agindo no interior da ex-guerrilheira. Me pergunto o que sente ao se olhar no espelho, se se reconhece no que vê. Penso também no que pensaria de si mesma a ex-militante; se compreenderia aos vinte a mulher na qual se transformou aos sessenta. Todo jovem acredita que a divisão entre o falso e o verdadeiro é uma linha definida. Com a idade, descobre-se que essa fronteira não é tão clara assim. A Dilma de antes acreditava na revolução armada, a de agora aceita a tortura fascista do salto alto. É o sinal dos tempos. A democracia midiática no lugar da revolução.

A gente não sabe nada a respeito do porvir.

Serra, talvez, tenha corrigido os dentes, como eu e a maioria das pessoas que conheço, e suavizado as bolsas debaixo dos olhos em recentes candidaturas. Mas para estar à altura da revolução estética realizada pela adversária, teria que tomar medidas drásticas, não sei, implantar uma cabeleira ruiva e chamar a Gisele Bündchen para vice da chapa.

Oscar Wilde

"Toda crítica é uma autobiografia."

A frase é de Oscar Wilde e me valho dela para voltar a um acontecimento meio passado, mas nem por isso de menor interesse.

No embate entre William Bonner e os candidatos à Presidência no *Jornal Nacional*, a tensão estava presente tanto no entrevistador quanto nos entrevistados.

Bonner comanda mais do que um jornal. Ele está à frente do diário oficial do país. Pelo peso da instituição e por tradição, o *JN* é visto como um jornal chapa-branca, isento, não afeito a sensacionalismos ou opiniões pessoais.

William Bonner é mais que um belo rosto, ou voz. Embora dotado dos dois atributos, é um jornalista preparado, de raiz.

Cid Moreira foi o locutor-modelo do *JN* por muitos anos. Impecavelmente radiofônico, foi o símbolo da neutralidade durante a ditadura militar — quando não havia eleições, a Globo batia na casa dos 100% de audiência e a Varig era a única companhia aérea do país.

A distância entre Cid Moreira e o William Bonner da entrevista com os candidatos é a mesma que separa o Brasil da minha infância do de agora.

Nos breves doze minutos de embate, Bonner lutou para que a ladainha eleitoreira não dominasse a sessão. Austero, e por vezes quase agressivo, administrou com usura o tempo exíguo. Interrompeu as entrevistas mais de uma vez na clara tentativa de produzir um jornal diferente do que nos acostumamos a ver no horário nobre da maior estação de TV do país.

Sua ansiedade era quase palpável.

Como bem sintetizou Wilde, o comportamento de Bonner era tão relevante quanto a mensagem dos sabatinados, ou mais relevante ainda.

Dilma foi sorteada primeiro e não esperava a veemência do entrevistador, ninguém esperava. Nossa quase presidente se ateve à sua agenda e objetivos, lançou mão mais de uma vez da metáfora da dona de casa — provando que Lula fez escola quando se trata de conseguir que uma ideia complexa chegue com simplicidade à população — e seu maior feito foi ter sustentado o sorriso — não sem esforço — até o fim.

Já enfrentei muitos ensaios terríveis, mas nada se compara ao tour de force de uma candidatura. Na mensagem final, o suor brotando no rosto da ex-ministra denunciava a dificuldade de manter a simpatia durante o ataque.

Lula, no dia seguinte, reverteu a situação em favor de sua eleita. Abraçado a Dilma, afirmou que jamais tinha visto tamanha deselegância num repórter. Com a habilidade de sempre, reduziu Bonner a um sujeito mal-educado com mulher.

Revi as três entrevistas na tentativa de saber se o âncora havia sido tendencioso. Sem dúvida, a de Dilma foi a mais tensa de todas. Mas as perguntas aos três entrevistados eram igualmente azedas.

A diferença é que Dilma, pega de surpresa com a prensa, deve ter achado que era pessoal. Os dois outros entraram preparados para o paredão.

Bonner foi excessivo com Marina, quando insistiu na pergunta, já respondida, do porquê de a senadora não ter abandonado o ministério no escândalo do mensalão.

A mudança editorial do *JN* é um grande fato político desta eleição.

A ocasião

Uma experiência sobre a psicologia do encarceramento — realizada no verão de 1971, na Universidade Stanford, nos Estados Unidos — criou uma prisão fictícia onde 24 alunos voluntários foram divididos aleatoriamente como presos e carcereiros. Os primeiros foram trancafiados, uniformizados e apelidados de acordo com seus números de inscrição. Os outros receberam a incumbência de vigiar os reclusos. A pesquisa teve de ser interrompida após seis dias de prática, porque os que assumiram o papel da polícia, independentemente da índole pessoal ou do grau de amizade com os detentos, se revelaram carrascos sádicos e abusivos. Já os cativos, apesar de revoltas isoladas, foram de uma submissão vergonhosa.

Mesmo breve, o teste serviu para provar que a ética e os bons costumes não são valores intrínsecos. O homem é um ser gregário e influenciável, um animal que tende a imitar o que acontece em sua volta.

A ocasião faz o ladrão.

O senso comum liga o desejo de ocupar um cargo público ao sonho de enriquecer e ter acesso aos benefícios do poder. A vontade de promover o bem comum é tida como conversa para boi dormir.

É compreensível. Diante de tantos casos de desvio de verbas, tráfico de interesses e nepotismo, nos sentimos no direito de baixar o cacete na safadeza que governa o país. Mas me pergunto se eu, tão cheia de hombridade, resistiria às perversões da hierarquia. A experiência americana me dá sérias razões para duvidar da firmeza do meu caráter. O poder corrompe e vicia.

Uma vez, um político foi me assistir no teatro. Fiquei honrada com sua presença, mas, à sua revelia, a lista de convites da delegação oficial não parou de crescer. Duas horas antes do espetáculo, um homem se apresentou na bilheteria como membro da comitiva e requisitou dois convites. Perguntamos se deveríamos deduzi-los dos já reservados e ele disse que não, que os dele eram à parte. Nisso, chegou o chefe da segurança avisando que precisaria de mais um ingresso para a guarda. Explicamos que a casa havia lotado e que já estávamos ali, atendendo o pedido do outro senhor. O oficial se mostrou surpreso e solicitou que o tal se identificasse. No cartão se lia algo como "segundo assistente do vice-secretário do cerimonial". "E a outra entrada?", indagou o segurança. "É para o meu amigo", respondeu o quase assistente do subgerente. "Mas a produção da peça não tem nada a ver com isso!", nos defendeu o superior.

O subsecretário do vice-chefe não achou que estava fazendo nada de errado. Não era roubo, trapaça ou esperteza; era direito, inerente ao cargo, mesmo um subcargo como o dele.

A fragilidade humana tem apego às regalias e a danação divina já não serve como intimidação. Quem vota no Rio de Janeiro sabe do que eu estou falando. Se os tribunais permitirem, a Lei da Ficha Limpa servirá para proteger o político de si mesmo.

A retaliação exemplar é a garantia da boa intenção. O altruísmo só existe porque a punição, moral ou genética, é tão ameaçadora que algo nos obriga a agir como heróis. Ou ratos.

O mercador de Veneza

Cruzei com Barbara Heliodora numa estreia de teatro. Barbara declamou para mim um trecho da cena 1 do ato 4 de *O mercador de Veneza*, onde Pórcia reflete sobre a cobrança de uma libra da carne do devedor, feita pelo judeu agiota Shylock:

A graça do perdão não é forçada;
Desce dos céus como uma chuva fina
Sobre o solo; abençoada duplamente,
Abençoa quem dá e quem recebe.

"Vou mandar para o Joaquim Barbosa", concluiu com ironia. Barbosa anda mesmo impiedoso na dosimetria.

É difícil acreditar que José Dirceu vá entrar para a história como o maior corrupto que este país já conheceu? Não é. Talvez, Dirceu seja o mais heroico dos revolucionários, ao aceitar a culpa para salvar o partido. Ou o mais perigoso dos políticos, ao conduzir um esquema para perpetuar o PT no poder pelas próximas décadas.

A alegação de que o caixa dois não é corrupção demonstra o quanto o PT operou dentro das controversas regras monetárias que imperam na política. Caso permanecesse fiel à retidão acusatória dos tempos de oposição, o partido enfrentaria o paradoxo do inflexível delegado de *Medida por medida*, do mesmo W. Shakespeare, que descobre ser impossível governar sem violar a lei.

É melhor fazer cumprir um mandamento que a sociedade não respeita ou compactuar com o malfeito que não se pode erradicar?

O valerioduto mineiro do tucano Eduardo Azeredo, tudo indica, serviu de modelo para uma estratégia de âmbito nacional. É grave. Mas por que o PT encara o paredão enquanto as acusações ao PSDB correm o risco de prescrever? Estaria certo Dirceu, ao defender a teoria conspiratória? Ou foi obra do soberano acaso?

Como em *Édipo rei*, aquele que mais procura a justiça descobre ser ele mesmo o culpado.

Perguntei a amigos informados o porquê de o mensalinho mineiro ter morrido no tempo, enquanto o mensalão enfrenta a fúria exemplar. Os analistas de quintal apontam para mais de uma razão.

O PSDB foi obrigado a seguir o moroso caminho da Justiça comum, enquanto o PT foi julgado pelo Supremo. Parte dos magistrados assumira o cargo durante o governo Lula e, presumivelmente, as chances dos processados, ali, seriam maiores.

A indignação de Gilmar Mendes com o ex-presidente, provocada pela insinuação de que o ministro teria visitado a Alemanha na companhia de Demóstenes Torres — envolvido no caso Cachoeira —, teria contribuído para o endurecimento do STF. E, também, a desastrosa defesa do caixa dois.

A sequência lógica, repartida em núcleos, imposta pelo relator do processo tornou difícil a contestação dos fatos e o resultado foi o derramamento de penas.

Dirceu insiste em que o tribunal agiu sob pressão da opinião pública atiçada pela imprensa. Mas quem soltou as feras no Coliseu foi Roberto Jefferson, de olho roxo, cantando vingança, depois de dar com a língua nos dentes em cadeia nacional. O tom de escândalo não partiu das redações. O termo "mensalão" é de autoria do deputado.

A crítica mais pertinente sobre o comportamento dos meios de comunicação eu ouvi de Janio de Freitas, no *Roda Viva*. Segundo o oráculo, um veículo pode e deve tomar posição, mas não tem o direito de fingir neutralidade.

Dirceu e Genoino foram enredados porque soava absurda a explicação de que Delúbio Soares teria sido, à revelia do partido, o arquiteto solitário dos empréstimos milionários e da negociação com a bancada. Mesmo sem provas irrefutáveis, foi preciso responsabilizar o alto escalão. Os autos levaram a isso.

O Partido dos Trabalhadores sempre se viu como o partido do povo brasileiro. Para o PT, o PT é o povo, nascido dos sindicatos e da mão de obra que ergueu o país. Havia uma simbiose entre a vontade do partido e a da nação que legitimava, para alguns envolvidos, as transações criminosas.

Nos últimos dez anos, o PT sofreu o linchamento de quadros do calibre de Palocci, Gushiken, Erenice Guerra e sempre se manteve coeso. Se serve de consolo, o mesmo não se pode dizer do PSDB.

A herança guerrilheira de muitos de seus fundadores sabe que o projeto comum está acima do indivíduo, mesmo quando o custo é uma libra da carne em torno do coração.

Data venia.

Mãos que eu afaguei

Marluci enrolava meus bobes no camarim da televisão quando comentou que o depoimento do Demóstenes no Conselho de Ética, em curso naquela tarde, lhe parecia convincente.

A simpatia da cabeleireira escorreu pelo ralo junto com o Nextel do senador, pago por Cachoeira. Antes de anoitecer, ela já havia recuperado a indignação habitual.

Eu também, em frente à TV naquela manhã, senti compaixão involuntária. Pelo menos ele está falando!, pensei. O emudecimento na CPI do dia seguinte, a exemplo do Nextel, destruiu a longa defesa da véspera. Mas quem, no lugar dele, cometeria o desatino de abrir a boca?

A máquina eleitoral é um leviatã voltado para os próprios interesses que opera na ilegalidade. A política corrompe ao mesmo tempo que produz desenvolvimento e riqueza. Se não para todos, ao menos para os que sobrevivem nela.

O poder vicia. No vício, perde a inocência. E, se todos têm culpa, ninguém é culpado.

Há sete anos, quando as denúncias do mensalão espocavam

nas primeiras páginas dos jornais, fui almoçar com um amigo num restaurante extinto do Leblon. Já pagando a conta, percebi que na única mesa ocupada, na saída do salão, estava sentado José Dirceu.

Roberto Jefferson entoando vingança; a careca do Valério; Delúbio dopado; Lula; o PT e o PSDB; a Telecom e o Opportunity; o próprio Dirceu, no documentário *Entreatos*, declarando possuir um cofre cheio de filmes bem-intencionados que arruinariam a reputação dos que concordaram em neles aparecer; sem falar na Casa Civil, no movimento estudantil, na guerrilha, nas plásticas e na clandestinidade mantida até diante da mulher — cinquenta anos de história me contemplavam em meio às mesas vazias, bem na passagem de quem queria chegar à porta.

Catei a bolsa e saí batido, eu não o conhecia, não era agora que iria me apresentar. Receei que parecesse que eu estava lhe virando a cara. Eu não me sentia pior nem melhor do que Dirceu, certamente menos audaciosa. Ele me provocava a consciência incômoda do quanto ignoro as regras do jogo político e de como vivo à beira, e à mercê, da corda bamba dos que orbitam o trono.

Anos depois dessa tarde, num forró da Flora e do Gil, durante uma conversa com o meu parente sardo, Sérgio Mamberti, cruzei os olhos com os de um homem cujo nome não me vinha à cabeça. "Oi, Ferrrnanda", ele disse, com um sotaque carregado do interior. José Dirceu!

Era uma de suas primeiras aparições sociais depois de uma longa reclusão pós-escândalo.

A mesma paralisia do Leblon, a força gravitacional em torno daquela entidade, somada à culpa de não ter me dirigido a ele no longínquo almoço carioca, agravaram a falta de jeito. Levantei uma das mãos e acenei.

O desconforto por ter sido incapaz de encarar José Dirceu

pela segunda vez me perseguiu por toda a festa. O medo de que ele houvesse notado as dúvidas que me invadem na sua presença.

Muitos o desprezam, outros o consideram a encarnação do exu capeta, alguns alegam que todos agem igual. Corre a lenda de que, nos tempos de gato incendiário, Dirceu fazia amor sobre a bandeira nacional.

Como nos insuperáveis romances do século XIX, a vilania e o heroísmo se misturam de forma explosiva em José Dirceu. Para além do bem e do mal.

No fim do arrasta-pé, sentada mais uma vez ao lado de Mamberti, senti, pelas costas, um vulto se despedir dos demais. Me virei, era Dirceu. Ele pousou a mão no meu ombro e eu, com o desejo culposo de reparar o mal-estar dos nossos dois encontros, segurei sua mão num movimento inconsciente e a beijei.

Uma fração de segundo após o ato, descolei os lábios da pele morena e olhei para os lados, aterrorizada com a ideia de ter sido pega por um fotógrafo num momento tão complexo da minha madureza.

É como bem resumiu a esposa de Cachoeira: "Isso é uma coisa que poderia acontecer com qualquer um".

Caos

O embaixador do México quis aprender a tocar cavaquinho antes de deixar o Brasil. Acabou desistindo quando descobriu que não há partitura fiel ao dedilhado dos virtuosos. Cavaquinho se aprende no convívio. Na despedida, o embaixador confessou que o Rio de Janeiro era como o cavaquinho, a prática não tinha nada a ver com a teoria.

Há dois anos, quando um gaúcho da civilizada paragem de Santa Maria, José Mariano Beltrame, aceitou chefiar a Secretaria de Segurança da ex-Guanabara, não houve um amigo que não o parabenizasse para, em seguida, lamentar a dor de cabeça que, bar-ba-ri-da-de!, o conterrâneo formado em direito, administração e inteligência estratégica estava prestes a enfrentar.

Cabe à polícia lidar com as contradições da sociedade. No Rio, elas são infinitas. O Rio é a capital universal da informalidade.

O jogo do bicho, por exemplo, é uma tradição centenária. Não conheço ninguém que já não tenha feito sua fezinha. Os anotadores de apostas estão em cada esquina, inclusive na da Secretaria de Segurança, no Centro, apesar de ser uma atividade ilegal. Ninguém acha justo prender o tiozinho da banca; mas quando se pensa nos grandes bicheiros, o jogo não parece uma atividade tão inofensiva assim.

Os empresários do bicho se organizam em feudos fortemente armados que movimentam somas polpudas sem pagar um centavo de imposto, ajudam a corromper a polícia e incluíram os caça-níqueis — ligados às milícias — no cardápio de seus interesses. Por outro lado, as escolas de samba, patrimônio cultural e turístico, são financiadas por eles, o que os torna figuras folclóricas da cidade.

Como deve agir a polícia diante do vespeiro de pecadores leves e grandes contraventores?

Se a sociedade em peso deseja sonhar com o coelho e apostar na cobra, por que o bicho é proibido? Por que a Mega-Sena pode e o bicho, não? Talvez porque molhar a mão de um policial saia mais barato do que encarar o fisco. A informalidade gera violência, desordem e dividendos.

Os vinte anos de populismo carioca e assistencialismo eleitoreiro criaram centenas de zonas abandonadas pelo Estado e ocupadas por poderes paralelos. São décadas ao largo da lei.

Quando José Mariano assumiu, os problemas eram tamanhos que o secretário centrou seu plano de ação na questão territorial. Seu objetivo é a reintegração de posse de áreas que, esquecidas pelo poder público, foram tomadas pelas três principais facções mantidas pelo tráfico.

Sua estratégia é das mais antigas: após dominada uma pequena área, duplas de policiais, os cosmes e damiões, ocupam o local em caráter permanente. Conquista-se rua a rua, bairro a bairro, favela a favela.

Na Cidade de Deus, Beltrame se chocou com o lixo e os porcos convivendo com as crianças. Nos postes de luz apagados, viam-se fotos e fotos de deputados e vereadores com seus números no TRE.

O secretário é um caso raro de político mais interessado em problemas concretos do que nos lucros eleitorais de suas ações. Ele se refere à ocupação do Complexo do Alemão como a reconquista da Normandia e tem vontade de anunciar o dia e a hora de sua chegada para que os bandidos recuem sem tiros. Ouvindo-o falar, parece até possível.

Perguntado sobre medidas de segurança nacional, Beltrame responde com a mesma objetividade. A União reserva fatias de sua arrecadação para investir diretamente em educação e saúde, mas a segurança pública não recebe nada do governo federal. Cada estado depende dos próprios cofres para remunerar o contingente. Beltrame defende, entre outras prioridades, que uma parte do orçamento da União seja reservada para a segurança dos estados.

Apesar do sucesso das UPPs, o secretário sabe que a polícia não age sobre as causas da tragédia social nem tem poder de preencher o vazio deixado pelo tráfico. Cabe agora aos outros setores do Estado ocupar a lacuna socioeconômica deixada pelo desmantelamento do poder paralelo. É preciso entrar com educação, saúde, transporte, cultura, lazer e esporte; criar perspectiva de futuro para uma população discriminada e mal preparada.

Se as chances de emprego para um rapaz branco, de classe média, que teve acesso à escola já são duvidosas, imagina as de um menino negro e semialfabetizado num sistema de aprovação automática?

Estudos populacionais garantem que cidades compostas de jovens rapazes desocupados enfrentam um nível de testosterona ocioso que se transforma em agressão, briga, roubo e baderna. Junte-se a isso a miséria e está pronto o coquetel molotov. Mas a falta de perspectiva não é problema de Beltrame.

O secretário caminha na fina linha que separa a eficiência do abuso. A lei, muitas vezes, age contra; mas sem a lei, ele reconhece, seria muito pior.

Nas prisões de segurança máxima, os advogados são os pombos-correios das vontades dos traficantes. O direito à privacidade não permite a gravação de conversas entre um advogado e seu cliente, mas esse direito propicia o comando de ações terroristas fora dos muros dos presídios.

Na manhã em que eu me encontrei com Beltrame, o Rio estava sofrendo uma onda planejada de arrastões que perduraria até o dia seguinte. Os chefes do tráfico, expulsos das favelas tomadas pelas UPPs, acreditavam que a nova política linha-dura seria substituída após a eleição, mas a população votou em peso pela continuidade. Eles estão revidando.

Além da guerra anunciada, Beltrame lida com crimes de colarinho-branco e sonegação de impostos que esbarram, com frequência, em deputados no Congresso que se locupletam com a morosidade e a indulgência da Justiça no Brasil.

Depois de investigar e prender um vereador miliciano, Beltrame viu a assembleia livrá-lo da cassação porque o político alegou justa causa para sua ausência: ele estava preso.

A polícia não vai dar jeito na injustiça e na desigualdade, mas, talvez, ela possa diminuir a impunidade.

O rebu

O quebra-quebra da quinta-feira histórica comia solto na retrospectiva da TV quando foi interrompido pelo intervalo comercial. Um anúncio sobre a inclusão social exibia torcedores de verde e amarelo, a pátria de chuteiras, tomando as ruas a caminho da Copa das Confederações.

Diante da violência do noticiário, a alegria dos figurantes mais parecia uma piada de mau gosto.

A famosa marca de carro seguiu na mesma linha, convocando a população a ocupar as esquinas. Multidões gritavam o gol das telefônicas; todo o planejamento publicitário, realizado com base na cartilha do feliz é quem tem, desafinava no *Jornal das Dez*.

Lembrei de uma aula do Mobral do Millôr Fernandes, em que a professora primária prima por não ensinar coisa nenhuma. A lição termina com um paradoxo sobre o Brasil: "É, enfim, um país do futuro, sendo que este se aproxima a cada dia que passa". Passou mais rápido do que eu imaginava.

Um mês antes da Primavera Tropical, eu estava no carro, engarrafada, a caminho não sei do quê, quando os acordes de

O guarani anunciaram A *Voz do Brasil*. A locutora listou os tópicos do dia, com destaque para o Bolsa Mobília. Gente humilde agradecia a chance de trocar os móveis e a televisão. A próxima eleição está resolvida, pensei.

Vale-Consumo, emprego em alta, Eike na *Forbes* e Anderson campeão invicto, não havia motivo para insatisfação, só indícios. Pouco antes da grita, ouvi uma senhora distinta se referir a Mantega como "Margárina". Não era um bom sinal. O trocadilho me fez lembrar da descrença jocosa com que tratávamos o Funaro, o Maílson, e do ódio que tínhamos da Zélia. Temi a volta do bicho-papão.

O aparelhamento político das empresas estratégicas, a crise na infraestrutura, o inchaço da máquina governamental, o PIBinho e o retorno do zumbi inflação, até ontem assuntos considerados elitistas, irrelevantes para o perde-ganha do jogo democrático, de repente, se tornaram questões mais que urgentes.

A rede de Anonymous as colocou em pauta, atropelando a versão arco-íris dos tradicionais meios de propaganda: públicos e privados.

As agências de publicidade enfrentam, agora, o desafio de substituir a imagem do consumidor ávido por carro, fogão e geladeira pela do patriota consciente. Terão que moderar o orgulho cívico esportivo com certa dose de engajamento.

A política, tão ligada à propaganda, encara a pressão de, um ano antes da eleição, espelhar a vontade do povo. O problema é que a vontade do povo pede o fim da própria política; ou, pelo menos, da política pela política.

A praça quer mais administração e menos política. A redução dos 39 ministérios — criados para satisfazer alianças partidárias — seria um gesto bem-vindo.

Suspeito do plebiscito redigido a toque de caixa, para ser

votado logo e posto em prática já nas próximas eleições. A precipitação tem sido a marca das ações do Planalto.

Nos dias seguintes ao estouro da boiada, aguardei com ansiedade o pronunciamento oficial. Ele veio protocolar. Lamentei que Dilma não tivesse memorizado, ou mesmo escrito, o texto.

A garantia de que estava atenta à voz da nação, e acredito que esteja, esbarrava na leitura pausada e vacilante, no sorriso triste e na falta de convicção do conteúdo da fala. Pareceu discurso de candidato.

Faltou a estadista e sobrou o assessor de marketing.

9 DE AGOSTO de 2013
Pecado mortal

Voltei de viagem. Como é bom voltar de viagem.

Trocaram as maçanetas da casa na minha ausência. As antigas rangiam, saíam na mão, eram ejetadas para longe num simples fechar de porta. Com as novas, passeio pelos cômodos, entro e saio só para testar o engenho. A humanidade caminhou muito, basta comparar as maçanetas de hoje com as de outrora.

Três milhões de peregrinos lotavam a praia de Copacabana para ver o Santo Padre e eu agradecida às maçanetas. Deus perdoa. É a carne.

Terminei de ler *Os miseráveis* pouco antes de embarcar; no estrangeiro, ouvi relatos sobre as barricadas do Leblon. A palavra "barricada" me remeteu ao pivete Gavroche, a Marius e Javert, mas o rosto dos incendiários do Leblon permanecia desconhecido para mim.

Cabral abusou do direito de ir e vir de helicóptero, da intimidade com o setor privado, houve descontrole da polícia nos enfrentamentos com os manifestantes, além de acasos e tragédias que levaram à vigília eterna de sua residência. Como se não bastasse, o desaparecimento do pedreiro Amarildo veio agravar o quadro de rejeição.

Mas foi sob o comando de Cabral que José Mariano Beltrame implantou uma estratégia de reocupação de vastas áreas dominadas pelo tráfico no Rio de Janeiro. Algo impensável, desde os tempos de Brizola. A atitude lhe valeu uma reeleição folgada.

A arrogância pela esmagadora vitória, somada aos desvios citados, contribuiu para o caos do Leblon. Mas surpreende que "Fora Cabral" se transforme em palavra de ordem na capital paulista.

Há décadas, a riqueza exponencial tornou São Paulo indiferente às mazelas políticas da Guanabara. E elas não foram poucas. Jamais presenciei um "Fora Garotinho", "Rosinha" ou "Brizola" ali. O que acontece na Bahia, em Pernambuco, Minas e Goiás tem mais relevância para São Paulo do que as agruras da faixa de Gaza do vizinho.

De repente, "Fora Cabral" vira slogan na garoa. Quem carrega o andor? É impressão minha ou houve uma mudança radical no perfil das manifestações?

As novas mídias viabilizaram a insurreição súbita das massas. Agora, a política ajusta os métodos, criando partidos de Anonymous a serviço precisa saber de quem. Está difícil distinguir o que é espontâneo do que é orquestrado.

Na primeira vez em que vi na televisão o nome de Sérgio Cabral surgir ao lado do de Geraldo Alckmin, esperei pelo esquadrão anti-Haddad, mas ele não apareceu. Estranhei. Ninguém vai pedir o pescoço do prefeito?

Ainda presa ao apartidarismo das passeatas de julho, achei que o repúdio amplo, geral e irrestrito continuaria vigorando. No lugar do nome de Renan Calheiros, um senador da República nacionalmente chamuscado, reluzia o de Sérgio Cabral.

E Haddad, que, se não me engano, figurou nas primeiras revoltas, estava com a cabeça a salvo.

Quem afia a guilhotina?

Sérgio Cabral foi o melhor governador que o Rio elegeu em décadas — o que não é muito, quando se pensa nos anteriores, mas foi um avanço. Hoje, um ano antes de encerrar o segundo mandato, enfrenta a danação bíblica pela soberba e usura.

O revelador encontro que travou com o papa daria uma pantomima medieval. A Virtude e o Poder, algo assim.

O voto de simplicidade de Francisco se opõe à idolatria do dinheiro, pregada nos quatro cantos, Vaticano inclusive. "Há santos na Cúria", afirma o papa, e prova que há, sendo.

Francisco foi eleito em meio a tormentas internas e externas da Igreja, numa Europa em recessão desde 2008. Como poucos, soube, através de ações práticas, traçar uma conduta moral para os que detêm o poder em tempos de crise.

Aqui, e especialmente na Guanabara, vivia-se a euforia da promessa do capital. Trocávamos as maçanetas, os carros, as geladeiras, construíamos estádios. A percepção do retrocesso econômico aconteceu antes do previsto na população e flagrou os governantes ajoelhados aos pés do bezerro de ouro.

Cabral é a Cúria que Francisco pretende reformar. Mesmo ungido, o governador deverá arder no inferno por, ao menos, mais um ano; ou até que outro venha a assumir o papel de Judas. Enquanto isso, Garotinho sobe nas pesquisas de intenção de voto.

A política é um pecado mortal.

Os russos

O professor de geografia do oitavo ano revelou à turma que a palavra "lucro" vem de outra, "logro", que quer dizer "roubo". "Todo lucro é roubo", concluiu. A classe se debruçou sobre o tema, usando como exemplo uma carrocinha de pipoca. Se o dono da carroça empregar alguém para remexer a panela e tirar disso o seu sustento, estará se apropriando do esforço alheio, o que é reprovável.

Meu filho, presente na aula, se mostrou avesso à ideia de que o investimento não merece retorno. Mas, assim como na redução lógica do professor havia uma condenação moral embutida, a rejeição do menino trazia outro exagero. A defesa que fez do livre mercado soava algo reacionária.

Me formei em escolas liberais da Zona Sul do Rio de Janeiro. A anistia aconteceu no primeiro ano do meu secundário. Livres da ditadura, que exilou intelectuais, artistas, militantes e catedráticos de esquerda, os professores ganharam o direito de falar abertamente, em sala, sobre as suas convicções políticas.

A liberdade de expressão foi uma conquista inestimável.

Nas matérias de história e geografia, em especial, combatia-se o fatalismo do subdesenvolvimento com a aversão ao imperialismo. A direita, os milicos e os americanos encarnavam os cavaleiros do nosso Apocalipse.

Trinta e quatro anos distanciam a minha sétima série do oitavo ano do meu filho. Na época, a divisão entre capitalismo e comunismo ainda era clara, não mais.

A competitividade econômica do Oeste revelou-se eficaz e foi adotada pelo igualitarismo vermelho do Leste; mas a especulação financeira, que culminou com a bancarrota de 2008, foi paga pelo Estado. Acabaram-se, assim, as fronteiras que separavam um lado do muro do outro.

Você pode argumentar que, para ensinar, é preciso partir dos fundamentos; que só é possível entender o atual paradoxo depois de expor aos imberbes os ideais puros nos quais se baseiam ambas as correntes.

Mas cinquenta anos depois do golpe, quarenta depois da anistia, trinta da Perestroika, vinte do real e doze da eleição do PT, eu guardo a suspeita de que o Brasil é um país que se situa em algum lugar entre a *Veja* e a *CartaCapital*. Entre o meu filho e o professor dele.

No capítulo XI da parte 6 de *Anna Kariênina*, Liévin — o único personagem imune ao traço de reprovação cômica com que Tolstói descreve o resto dos abastados — fala do desprezo que sente pela elegância custosa dos grandes centros e da sua admiração pelos mujiques do campo.

Numa caçada na companhia de dois hedonistas natos, parentes chiques de São Petersburgo, a conversa recai sobre a decência e o lucro.

Depois de desdenhar da iniciativa privada, o jovem fazendeiro defende que o único ganho legítimo é aquele adquirido através não da astúcia de terceiros, mas da força do trabalhador.

"Qualquer lucro que não corresponda a um trabalho investido é desonesto", afirma ele.

A mesma explanação do mestre de geografia do Fundamental II proferida ali, pelo herói russo, meio século antes de os caipiras da Revolução Bolchevique varrerem do mapa os entediados condes, duques e princesas do romance.

A literatura como solução.

Tolstói se vale de igual conceito, mas o enriquece de figuras que negam, rebatem, discutem. A contradição humana é o narrador. Se o objetivo é ampliar os horizontes do aluno para que ele forme uma visão mais completa do mundo, não conheço cartilha melhor.

A provocação do professor, sem o contexto, soa como doutrina, e nenhuma doutrina sobreviveu às últimas intempéries.

Hoje, é quase impossível discernir movimento de classe de manobra política; interesse partidário de real empenho pela população. Não defendo que um guri de catorze anos dê conta de *Guerra e paz*, mas um capítulo já faria efeito.

A opinião do educador, se proferida por Liévin, traria maior resultado; a pilhéria do cunhado perdulário, que sugere que o parente acabe com a culpa doando a fazenda aos empregados, enriqueceria a discussão, e os 142 anos que separam a adúltera de Tolstói dos jovens cariocas dariam a perspectiva histórica da reflexão.

A arte é um sério antídoto contra as certezas.

E uma baita aliada da educação.

17 DE MAIO de 2013
Piaget

Pirro de Élis, sábio grego que visitou o Oriente na companhia de Alexandre, julgava impossível conhecer a verdade absoluta do que quer que seja. Pirro fundou a doutrina do ceticismo, contrária ao dogmatismo.

Toda certeza é perigosa, bem faz o filósofo em desconfiar delas. Para uma mãe, no entanto, é impossível atingir a placidez dos céticos.

A maternidade é irmã da angústia. O antídoto mais comum para a impotência perante o destino é a religião. Como alternativa, Pirro sugere um estado de indiferença consciente: a ataraxia.

A pequenez humana requer serenidade. Pirro deve ter aprendido sobre o desapego com os orientais, era homem e não teve filhos. Eu sigo engalfinhada com os dilemas insolúveis, sou mulher, ocidental e mãe de dois. Teimo no ideal.

Ouço os que defendem o ensino tradicional e concordo com os catedráticos, a disciplina é a ponte para o saber. Troco duas ideias com os construtivistas e me convenço de que a cartilha repetida à exaustão é um atentado à criatividade infantil. O espírito investigativo é a porta do conhecimento.

À eficácia relativa das diferentes correntes de educação soma-se a pressão da fluência no inglês. Colégios bilíngues forjam bebês poliglotas, provando que o domínio de um idioma exige prática intensiva na infância. Corra e garanta vaga. A comunicação é a ferramenta do futuro.

Mas o porém de criar um ser alheio à própria cultura e dotado de um português de segunda invade a alma. E volto à estaca zero da incerteza sem fim.

Venho de uma família de artistas autodidatas, franco-atiradores guiados pelo instinto. São péssimos exemplos. Dos parentes, só um primo fez faculdade.

Como se não bastasse a falta de acadêmicos no DNA, sou cria de Piaget, ou do que aqui se convencionou chamar de método Piaget. Quando eu era alegre e jovem, o construtivismo traduzia os valores contrários à nefanda censura. A escola experimental prometia dar aos alunos a liberdade negada aos pais.

Quarenta anos depois, Steven Pinker condena Piaget com a mesma ferocidade com que desdenha de Oscar Niemeyer. Num discurso disponível no site da TED — fundação privada sem fins lucrativos dedicada à disseminação de ideias —, o psicólogo americano, personificação do pragmatismo científico, garante que não há apuro sem treino árduo.

Creio na ciência e no sacrifício, mas o argumento do cientista remete às mães chinesas, fábricas de infantes virtuosos mas donas de uma severidade que põe em xeque o valor do gênio engendrado a fórceps.

Em *Bouvard e Pécuchet*, Gustave Flaubert denuncia as fragilidades da ciência e da arte, fazendo os dois personagens centrais de cobaias voluntárias dos compêndios de saber do século

xix. Nada escapa: a agricultura, a arqueologia, a política, a literatura, a religião, a medicina.

No capítulo dedicado à educação, os copistas tornam-se preceptores de um casal de irmãos rebeldes. Convencidos de que a boa formação é a única saída para o descaminho da humanidade, aplicam as inúmeras teorias educacionais nos irmãos, mas nenhuma age sobre a índole dos pivetes. Após o fracasso com a matemática, a gramática, a música, a história e a geografia, desistem da experiência ao dar com os pupilos no fogão, cozinhando o gato da casa em água fervente.

Flaubert era cético. E cínico. Morreu de sífilis, contraída nos bordéis que frequentou com afinco, não casou e nunca foi pai. Mais uma vez, é fácil exercer a descrença quando não há crias por perto.

Fui devota de Flaubert na juventude. Hoje, impedida pelo amor materno de ser niilista e mordaz à sua maneira, leio Os miseráveis e invejo o positivismo romântico de Victor Hugo.

A Revolução Francesa é mãe da eloquência de Hugo. Flaubert a admira, embora confesse em A educação sentimental que não arriscaria uma unha por suas bandeiras.

O mundo anda mais para Flaubert do que para Hugo. Menos dado a grandes causas e mais afeito à ataraxia estatística.

O espírito demolidor do francês é mais fiel à crise moral do presente. A dificuldade em definir a escola de meus rebentos é reflexo dessa dualidade. Quando nasci, a ideologia fundada em 1798 ainda guiava a política, a economia e a educação.

Não mais.

Pagãos

Um rapaz de quinze anos, abastado, inteligente e educado, me disse que pagar R$ 0,99 por uma música na internet era uma exploração sem precedentes.

Graças a um certo atraso geracional, vivo alheia às questões de direitos autorais das novas mídias, mas, dessa vez, me senti algo indignada. Rebati perguntando o porquê de ele achar correto o preço de um refrigerante e se sentir afrontado com o da composição. Ele respondeu que não teria como arcar com as mais de 2500 músicas arquivadas no seu drive. Sugeri que quem possui um computador caríssimo, jeans custosíssimos, além de iPads, iTouches e afins na sua parafernália de entretenimento, tem, sim, condições de arcar com o ônus de uma canção.

Com a calma de quem vive uma realidade que eu desconheço, o infante me explicou que a internet dá ao artista a chance de divulgar seu trabalho e que não há lógica em cobrar por uma oportunidade.

Outro jovem, esse com tendências mais à esquerda do que o primeiro, completou, aos brados, que o verdadeiro artista não trabalha por dinheiro, e lembrou que os pobres devem ter acesso à cultura tanto quanto os endinheirados. Essa alegação empurrou a discussão para o campo da insensibilidade social, emudecendo a velha guarda.

Os adultos só tiveram chance porque a babá de um dos imberbes se manifestou, sustentando que toda vez que um rico quer defender o seu ponto de vista apela para o direito dos menos favorecidos. "Pobre não tem computador", afirmou ela.

Animados com o apoio da classe trabalhadora, os de maior contra-atacaram dizendo que o que parecia cultura para todos não passava de uma apropriação indevida das grandes corporações que faturavam trilhões em cima do conteúdo de terceiros.

"E os milhões que os cantores acumulam nos shows?", devolveram os adolescentes. "E o direito autoral dos compositores?!", vociferaram os mais velhos. "Eles não entendem", concluíram os menores, como se os nascidos antes da virada do milênio fossem matusaléns sem cura, presos ao tempo em que era possível numerar o vinil, o livro ou o celuloide.

Um dos poucos antenados da segunda idade lembrou que Gilberto Gil, o mais apto membro da MPB a lidar com as novas diretrizes do mercado fonográfico, liberou parte de sua obra para ser "downloadada" de graça, ao mesmo tempo que protegeu o melhor de sua discografia da ferocidade da pirataria. "Hipócrita!", gritou, ultrajado, o mais à esquerda dos pequenos.

A noite terminou em lágrimas, com os pais ofendidos pelas crias e os de menor aviltados pelo atraso das gerações pregressas.

Passei dias atormentada com a violência da ceia, pensando no quanto a arte perdeu terreno para a tecnologia. E assim entramos no exuberante prédio renascentista da Scuola di San Rocco, em Veneza, onde Tintoretto preencheu cada milímetro de parede com a sua extraordinária versão da Bíblia. E descemos a Bota com os moleques, arrastando-os pelas capelas cobertas por Giotto, Michelangelo, Da Vinci e Fra Angelico.

É impressionante como esse levante de artistas — bancados pela Igreja e por doges e príncipes alinhados com o papa — conseguiu se superar diante de uma restrição temática tão acirrada. E tome Madona, crucificação e Santa Ceia, ressurreição e batismo, manjedoura e Menino Jesus.

A arte sempre caminhou entre a marginalidade e o sistema. O século xx foi o último a viver sob a influência do humanismo, cuja explosão ocorreu lá, na Renascença. Hoje, vivemos um ateísmo tecnológico sem precedentes, tão bem representado pela indiferença do rapaz que despreza o conteúdo artístico e venera sua nave virtual.

Fiz essa viagem para apresentar às crianças o berço do Ocidente, que pode até ter sido a Grécia mas que se desenvolveu a plena potência na Itália. Depois da via-crúcis pelas igrejas, notei o ar de vingança no rosto das crias ao adentrarem o Coliseu.

O sofrimento cristão é mesmo de uma melancolia sem fim, admirar o vigor das estátuas realistas de Trajano, Adriano e Marco Aurélio encoraja o espírito. Mas as novas gerações não se miram nem em Roma nem em Cristo, seu paganismo é de outra ordem.

O iPhone é a nova *Pietà*.

Humano

Em A *invenção do humano*, Harold Bloom afirma que a consciência do homem moderno nasceu com *Hamlet*. Shakespeare, afinal, seria o tronco, e todo o resto, Freud, Dostoiévski e Guimarães Rosa, seus galhos.

O crítico americano descreve o príncipe dinamarquês como um homem contemporâneo preso numa trama medieval. Os demais personagens não seriam capazes de raciocinar como o jovem, o autor não os dota do mesmo vocabulário. No choque, a razão de Hamlet só se justifica através da loucura.

Estive na galeria Uffizi, em Florença, no começo do ano. Lá, é possível acompanhar muitos desses saltos evolutivos na história da criação.

Iniciei o périplo pelas pinturas medievais. Sacras e bidimensionais, há pouco de humano nelas; são esquemáticas, como a corte do rei Cláudio. Giotto é quem dá o passo ao descolar as figuras do fundo, concedendo-lhes profundidade no sentido amplo da palavra.

A perspectiva expande o sofrimento de Madonas, Moisés e

Cristos por bons séculos. Vale ressaltar a abnegação com que os mestres enfrentaram a restrição temática.

Para quem segue pelos corredores da galeria, a repetição das passagens bíblicas e divindades gregas cria um estado de beleza e embriaguez interrompido pelos primeiros retratos realistas da Renascença. Na sala 8, os perfis da duquesa e do duque de Urbino, pintados em 1472 por Piero della Francesca, marcam, na impressionante coleção, o instante em que o homem se colocou em pé de igualdade com os santos.

As salas seguintes exibem rostos comuns, nobres mas comuns, semelhantes à turistada. O duque de Urbino é pai de Hamlet e foi criado mais de século antes dele.

A Cosac Naify acaba de lançar uma edição do *Decameron*. Cem anos antes de Piero della Francesca, Boccaccio pedia desculpas ao Espírito Santo para falar dos dilemas mundanos de quem sobreviveu ao século XIV.

Entre 1300 e 1400, a Europa enfrentou a Guerra dos Cem Anos, a corrupção desenfreada do clero e a peste negra — que dizimou 75 milhões de pessoas, um terço da população europeia.

O cenário desolador flexibilizou a moral. A noção de família e propriedade foi abalada, bem como a crença na justiça divina. Os que sobraram se arrumaram como puderam, não como Deus queria.

"Sabe-se que as coisas deste mundo são todas transitórias e mortais, em si e fora de si cheias de tédio, de angústias e de tormentas, passíveis de infinitos perigos; às quais nós, que vivemos misturados a elas e somos parte delas, não poderíamos certamente resistir nem evitar se a especial graça de Deus não nos emprestasse força e sagacidade."

O discurso caberia na boca de Hamlet, ou de Macbeth, não fosse a conclusão tão reverente ao Altíssimo. Aparentemente devoto, Boccaccio esclarece, logo na introdução, que sua novela não é direcionada a Deus, mas ao juízo dos homens. Ou à falta de juízo. *Decameron* é um decálogo de desvios, um paraíso de putas ardilosas, freiras volúveis, padres ladrões e bandidos de toda espécie.

Os bustos de mármore do Império Romano também seduzem por seus defeitos. Narigudos, papudos e olheirudos, se distanciam do ideal olímpico dos gregos. Admiro a *Vênus* e a *Samotrácia* tanto quanto os Tintorettos da Scuola di San Rocco, mas as rugas romanas me provocam o mesmo deleite que os rostos da Renascença, ou os pecadores de Boccaccio; elas revelam os anseios, a fragilidade, a torpeza e a mortalidade de gente como eu, e você.

Gosto também de admirar o modelo em cera do casal de *Australopithecus afarensis* caminhando abraçados pela planície de Laetoli, no Museu de História Natural de Nova York. O par de macacos bípedes passeia enlaçado, enquanto contempla a paisagem ancestral. São Adão e Eva encarnados e não destoam dos *sapiens* apaixonados.

Difícil mesmo é reconhecer o que há de humano nos games interativos que meu filho adolescente joga sem parar, on-line, com os amigos virtuais. Quando o vejo aos berros, imerso na batalha imaginária, tenho dificuldade de acreditar que, algum dia, *Hamlet* fará sentido para ele; e temo, como a mais retrógrada das santas inquisidoras, pelo futuro da humanidade.

Buquê

T. é amigo de meus enteados, tem 23 anos e faz o estilo Jesus Cristo Superstar. É bonito, selvagem, boa-praça e popular entre as mulheres. O mais experiente entre os seus, já levou à lona uma coroa de 32. T. arrumou uma namorada fixa, também bela, interessante, inteligente. M. é uma garota sagaz que acaba de sair de uma relação de um ano com um homem mais velho. M. trata T. como a um ogro adorável, quer criá-lo para si, talvez como o outro fez com ela.

Era um fim de festa em minha casa, sobraram os adolescentes já não tão adolescentes e eu, para lá de balzaca. T., como quem revela uma angústia a um amigo, me confessou num aparte:

"Minha namorada me proíbe de tomar Coca-Cola e comer chocolate."

Por solidariedade ao gênero, e fiel às tendências orgânicas, dei razão à moça, argumentando em prol de uma dieta saudável; T. me interrompeu, brusco:

"Você não entendeu, ela grita comigo."

A mesa ouviu e refletiu calada.

"Vocês acham certo isso? Ela gritar por causa de uma Coca-
-Cola?", perguntou, impotente.

Jesus Cristo não desconfiava, mas começava para ele um noviciado. T. estava sendo introduzido no ardiloso mundo da histeria feminina. Parecia assustado e tinha motivos para tanto. As mulheres têm o dom de surtar. A fragilidade atávica lhes permite perder a cabeça, chorar além do suportável, entrar no túnel, sofrer até sair da pele. Aos homens, resta o recuo, a obrigação do amparo. A posição de vítima é, por conquista, da mulher.

Apesar do aspecto irracional, todo descabelamento feminino é fundamentado numa razão concreta, um direito não atendido. É o que as salva da loucura.

"Ela grita?", eu quis saber.

"Grita", ele disse.

"Por uma Coca-Cola?"

T. confirmou, dúbio, baixou os olhos e, depois de demorada pausa, fez a revelação.

"Ela se irrita porque... porque ela diz que muda o gosto..." — ia falar "da porra", mas teve pudor por minha causa — "... do gozo", concluiu, formal.

A mesa reagiu estupefata. Ninguém havia relacionado o cardápio ao sexo, tratava-se de uma surpreendente guinada.

"Isso existe?", indagou ele, surpreso.

M. tinha razões para vociferar. Anos de feminismo desaguaram nela, no direito de temperar os fluidos do companheiro.

Discretamente, a plateia passou em revista os alimentos que poderiam justificar a indignação de M.: fast-food, acarajé, cebola, mostarda, agrião, cítricos. Que influência teriam no sêmen? Que mistura acentuaria o buquê de aromas terrosos, o retrogosto de calcário harmonizado, a estrutura firme, a adstringência clássica e os taninos de consistência ácida?

Perdida no devaneio e querendo honrar o posto de anciã, lembrei-me de um amigo de Nova York, gay militante, que repetia, categórico: *"Forget asparagus!"*. Richard conhecia os dois lados da balança e não tenderia nem para M. nem para T.

"Meus queridos", eu disse, "esqueçam o aspargo!"

Os moleques respiraram aliviados, não gostavam de aspargo. Não seria nenhum sacrifício abrir mão dele, não era um Polenguinho, um cheese-tudo, ou um balde de refrigerante. R., o menor, que só recentemente concluíra a puberdade tardia, sorriu satisfeito.

"Ainda bem que eu me alimento direito", declarou, com uma placidez invejável.

Tive uma pena colossal, um carinho imenso pela inocência dele.

Já T. não parecia tão seguro. Percebia a gravidade da situação. M., afinal, tinha direitos sobre as secreções dele. Bastava olhar o súbito interesse culinário dos presentes. Tal prerrogativa dava à namorada a liberdade de soltar os cachorros sobre ele quando bem entendesse, de ser dona de tudo, de se apossar geral, de moldá-lo ao seu bel-prazer.

Entre o chocolate e a carícia íntima, quem há de negar que a segunda supera a primeira no interesse comum do casal? M. zelava pelos dois, era a boa, a pura, a santa. O egoísta era ele.

T. acabou a noite com um sorriso inconformado no rosto. Pelo bem da união, via-se, agora, como parte de uma engrenagem sexo-digestiva. A fábrica de excrementos do Mimi, o metalúrgico. O rapaz refletia se sobreviveria em tais condições.

O mais provável é que T. desenvolva a surdez seletiva às lamúrias dela, na esperança de que M. canse ou se conforme com o seu sabor adocicado.

Humanas e exatas

Não sei se existe ligação direta entre os baseados queimados na USP e a tragédia de Felipe Ramos Paiva, assassinado no estacionamento da Faculdade de Economia, Administração e Contabilidade.

A presença ostensiva da PM no campus levou à detenção de dois rapazes que fumavam maconha. Houve enfrentamento e o episódio culminou com a invasão da reitoria por um grupo minoritário de estudantes da Faculdade de Filosofia, Letras e Ciências Humanas.

Segundo manifesto de apoio ao ato, a morte de Paiva e a prisão dos jovens estariam sendo usadas para desviar a atenção do real objetivo da ocupação policial: a censura às manifestações contrárias à privatização do ensino.

O Estado é repressor por natureza, as leis do comércio também. Frases que sobreviveram ao tempo, como "abaixo a repressão", e a definição de luta política dada ao ocorrido desafinam no contexto.

Vivemos numa democracia; o PT está na Presidência, e o

PSDB, composto de ex-formandos das melhores faculdades paulistas, à frente do estado. Em última instância, quem convocou a tropa foram os próprios alunos, seus familiares e educadores.

O texto dos estudantes fala de revistas nas salas de aula e perseguição aos centros acadêmicos; aborda o direito dos negros, a crise sistêmica do capitalismo e a truculência das Forças Armadas. É uma metralhadora giratória de repúdio à política educacional da atual administração, à ganância econômica e aos rumos do planeta.

O morto é citado como uma fatalidade manipulada pelo poder.

João Ubaldo Ribeiro me enviou uma entrevista da historiadora e psicanalista Elisabeth Roudinesco.

Nela, a cientista francesa afirma que o fim da utopia comunista, cujo eco ainda se escuta nas reivindicações de São Paulo, desembocou no triunfo da economia e da ciência.

As ciências humanas, esclarece o escritor baiano, passaram a ser rejeitadas porque é impossível aplicar sobre elas o método científico a contento. Na sua subjetividade, o observador é também sujeito do experimento, o que destrói a imparcialidade de qualquer pesquisa.

Paiva estudava atuária, disciplina que trata dos riscos das operações financeiras, especialmente no setor de seguros e pensões. O rapaz aprendia a buscar padrões de normalidade em sistemas imprevisíveis e exemplifica a nova ideologia à qual Roudinesco se refere.

Não há como adivinhar o futuro de um centavo poupado, o destino de um homem ou o instante de uma hecatombe. Mas se trocarmos uma pessoa por 1 milhão, ou mil moedas por bilhões delas, e pensarmos no longo prazo, curvas intermediárias de comportamento oscilarão dentro de uma norma legível.

Seguindo-as, é possível antecipar revoluções sociais, chuvas torrenciais e desastres súbitos. A média comanda.

Práticas poéticas e individualizantes, como a psicanálise, estão perdendo terreno para as estatísticas irrefutáveis, e manipuláveis, dos reguladores de humor.

O teatro recrudesceu, os livros de autoajuda proliferaram, e a cultura de massa dominou o cinema e a música. A arte virou consumo, capricho pessoal mensurável gerador de riqueza.

E foi justamente das cadeiras marginais, no sentido de à margem da ordem vigente, de Filosofia, Letras e Ciências Humanas, que eclodiu o levante.

A pura contrariedade é inútil diante do pragmatismo científico. Os amotinados esperneiam, espelhando a crise que sua área atravessa, e carecem do que é abundante nas ditas ciências duras: a lógica.

Paiva foi vítima da miséria urbana, do tráfico de armas e de drogas, da falta de policiamento e de iluminação, e, sobretudo, de uma força indiferente às planilhas para se proteger do amanhã: a irracionalidade. A atuária também não dá conta de cruzar a esquina.

O juiz devia obrigar todo mundo a ler, ou reler, *Crime e castigo*.

6 DE SETEMBRO de 2013
Mario Sergio

Uma vez, num agradável almoço à paisana com um jornalista, terminávamos o prato principal quando, em meio à conversa, ouvi dele:

"Eu não sei por que as pessoas me contam as coisas se elas sabem que eu publico."

Uma censura brusca me fez perder o assunto. Não consegui mais ser natural. A profissão define nossas relações sociais. O humorista fará piada com a sua desgraça, o escritor te roubará as histórias e o jornalista usará a sua informação.

Por isso, dentre todas as amizades que desenvolvi na vida, a por Mario Sergio Conti é uma das mais longevas e misteriosas.

Eu o conheci em 1986. Mario Sergio era repórter da *Veja* e eu lançava quatro filmes, além de encarnar a mocinha da novela das oito. Ele sugeriu uma capa comigo, eu fiz e, um mês depois, recebi a Palma de Ouro como melhor atriz no Festival de Cannes. O prêmio confirmou a aposta da revista.

Desde então, viramos testemunhas oculares da história do outro. Depois do súbito estrelato, o cinema acabou e eu fui fazer teatro experimental. O Mario assumiu a direção de redação da *Veja* e, de vez em quando, nas suas raras visitas à Guanabara, saíamos para almoçar.

Lembro-me de ele torcer o nariz para a minha opção pelo alternativo. Era possível notar o peso do cargo na fisionomia do Mario. Foi seu período mais sisudo, niilista, tinha muito poder, fumava muito, e não me lembro de vê-lo sorrir. A controversa capa com Cazuza aconteceu por aí, o impeachment de Collor, também.

Amante de Proust e de João Gilberto, a ponto de não admitir nenhum outro baiano, ele é o jornalista mais jornalista que conheço. Sempre me senti próxima e, ao mesmo tempo, desconfiada dele.

Certa vez, durante uma gripe violenta, ele me ligou de São Paulo. Conversamos uns bons vinte minutos sobre coisa nenhuma, eu reclamando da saúde, até que Mario disse que um médico passara a informação de que eu estava com aids, jurava ter visto meus exames, e ele queria saber se era verdade.

Me arrependi de ter mencionado a virose. Fiz um exame no dia seguinte e lhe pedi que entregasse ao doutor. Por muitos anos, mantive nossa amizade em suspenso, sem saber se eu estava diante do amigo ou do profissional de imprensa. Era uma mescla dos dois.

Notícias do Planalto o levaria ao exílio voluntário na França. *Notícias* é daqueles livros que têm que ser lidos, fala menos da ascensão e queda de Fernando Collor e mais, muito mais, da imprensa.

Mario disseca a saga dos principais jornais, revistas e empresas de comunicação do país. A epopeia custou-lhe centenas de inimizades. A saída mais próxima foi o aeroporto. Na França, viveu como correspondente da TV Bandeirantes, exercitando a falta de jeito para o telejornalismo.

E foi assim que eu vi o Mario, que tanto torcia o nariz para a minha carreira experimental, virar, ele mesmo, um outsider.

João Salles foi buscá-lo em Paris, para propor a criação de uma revista. Ele tinha um esboço no bolso desde que deixara o Brasil. Do encontro, saiu a *piauí*. Sua temporada carioca como editor da revista nos aproximou em definitivo.

Devo ao Mario escrever. Os artigos que me encomendou para a *piauí* me abriram outro horizonte. Sou muito grata a ele, o meu personal editor, a quem recorro nas horas de dúvida.

Quando aventei publicar as crônicas, perguntei se ele faria o prefácio. O Mario me aconselhou a pensar duas vezes, temendo que seus desafetos acabassem por me prejudicar.

Ao saber que ele aceitara o posto de âncora do *Roda Viva*, em São Paulo, lamentei a partida e duvidei do seu talento de comunicador. Mas, assim como fizera na *piauí*, Mario Sergio confiou no valor das ideias, no conteúdo livre de partidarismo, e trouxe o *Roda Viva*, novamente, para o centro das discussões de uma camada pequena porém influente de espectadores.

Janio de Freitas falou de imprensa, Boni da TV, Laerte sobre comportamento, a Mídia Ninja deu as caras, Marcelo Freixo se apresentou e Fernando Henrique Cardoso foi consultado.

O programa existia antes dele e continuará a existir depois. Não sei o que causou a saída, não escrevo para tomar partido nem para defendê-lo. Escrevo porque me impressionou a forma como, atuando numa TV Educativa ou numa revista mensal de tiragem reduzida, Mario conseguiu pautar muitos dos temas que vi debatidos no Brasil desde a sua volta.

Aguardo atenta a sua próxima empreitada.

DE JOHN GIELGUD A DERCY GONÇALVES

Com o pai, Fernando Torres, em 1972, em praça próxima à lagoa Rodrigo de Freitas, no Rio de Janeiro. O cachorro é Duque, um boxer que vivia com a família numa casa demolida pela especulação imobiliária, na pacata rua Frei Leandro.

Paquetá

Londres escapou com mais galhardia do argentarismo do terceiro milênio que Nova York e Paris. As grifes dominaram as principais avenidas, o boom imobiliário cercou a velha torre, mas a cidade não perdeu a nobreza nem a rebeldia.

A geografia forjou o caráter liberto, feroz da ilha, que a protege do continente, das estatísticas e das ruas tomadas pelo prêt--à-porter.

Da London Philharmonic ao New Experimentalism, de Rembrandt a Mira Schendel, de Jurowski a Rie Nakajima, a arte existe e resiste em Londres.

A mais inglesa dos brasileiros, Barbara Heliodora, me mandou de Natal uma compilação de ofensas chiques chamada *When Insults Had Class*. Nela, Bernard Shaw convida Winston Churchill para a sua estreia teatral e deixa dois ingressos à disposição, para ele e um amigo: "Caso você tenha algum". Churchill responde que não poderá estar presente na primeira noite, mas que certamente irá na segunda: "Caso ela exista".

De Shakespeare ao Sex Pistols, não importa a época ou as

convicções morais, o inglês é um símio dominante, dono de um sarcasmo polido, terrível e admirável; o *Homo sapiens sapiens* por excelência. É Drake, o pirata civilizado; os tesouros do British Museum estão lá para comprovar.

Na exposição Come and See, na Serpentine Sackler Gallery, os irmãos Jake e Dinos Chapman traçam uma reta que liga o *Mayflower*, com os primeiros colonos da América, a Ku Klux Klan, a Alemanha nazista e o McDonald's.

É uma crítica tão perversa ao progresso e ao triunfo do capitalismo que não há como não compactuar com o sadismo dos artistas de pregar o Ronald McDonald na cruz.

Holocaustos em miniatura, com pilhas de cadáveres aglomerados por ss diante do mefistofélico M da lanchonete; e o mesmo Ronald, agora algoz, agarrado a louras de três cabeças, pilotando uma lancha guiada por golfinhos carnívoros pelo rio de *Coração das trevas*. Manequins em tamanho natural fantasiados de KKK povoam os corredores, causando a estranha sensação de que nós, presentes, compartilhamos do mesmo ideal dos que usavam capuz.

Come and See é ácida e assustadora, fala com escárnio e horror da supremacia branca da Europa e dos fundadores da América. Passa pelo Vietnã, por Hitler e pela conquista da Lua. É assombrosa, mas não é comigo, era algo lá, com eles.

Depois de quase um mês de civilização, já desconfiada do hedonismo burguês que costuma aflorar nas viagens de férias ao exterior, no último dia antes de embarcar para o Brasil, fui ao cinema assistir a *12 anos de escravidão*, do diretor inglês com nome de astro americano, Steve McQueen.

Baseada no relato real de um afro-americano livre, raptado por traficantes de escravos do sul dos Estados Unidos, a película abordava muitos dos temas presentes na alegoria dos irmãos Chapman: a segregação racial, o puritanismo, a KKK. Mas *12 anos de escravidão*, além de seco e realista, é o retrato de algo que eu conhecia bem.

Foi botar o olho nas plantações de cana, nos pelourinhos tão iguais aos da minha terra, nos senhores sádicos cozidos sob o calor dos trópicos, foi me compadecer do drama de Lupita Nyong'o para cair num choro convulso.

Não há heroísmo à moda americana, só submissão. McQueen compreende o custo moral da sobrevivência e suas consequências no convívio lascivo entre a casa-grande e a senzala.

A beleza aparece raramente, na melancolia dos pântanos da Geórgia, ou no entardecer no campo de algodão, o resto é humilhação e silêncio. Cinema clássico, cada vez mais raro de se ver, imune à estética da embalagem.

A violência do filme despertou em mim um sentimento inconfessável. Em meio a surras e chibatadas, forcas e humilhações, me bateu uma saudade imensa das babás da minha infância, da cozinha das casas em que morei, dos quartos de empregada e do Odair José. E vergonha de ter saudade de tudo o que é fruto da maldade que o filme denuncia.

Nada tenho de civilizado, pensei. E me veio o banzo do ar úmido e da tragédia insolúvel da Paquetá onde eu nasci.

Foi a pá de cal no meu "rolezinho".

John Gielgud

John Gielgud nasceu em berço esplêndido no dia 14 de abril de 1904. Seu pai era descendente de uma família católica polonesa e seus parentes por parte de mãe, os Terry, tinham tradição nos palcos ingleses. A avó Kate e a tia-avó, "Dame" Ellen, eram atrizes renomadas e outros Terry, como Marion e Fred, também seguiram a vocação. Jovem, já era capaz de verter lágrimas por Hécuba, a ponto de uma colega de profissão aconselhá-lo rudemente a chorar menos para que a plateia tivesse a chance de sofrer pelo personagem.

Aos 26 anos, atingiu a consagração com um *Hamlet* que entraria para a história. Na pele do príncipe dinamarquês, virou fenômeno de bilheteria em Londres, atravessou o Atlântico e conquistou a Broadway — numa montagem americana de 1936, juntamente com Ofélia de Lillian Guish. Com a idade de Cristo já havia feito mais de quatrocentas apresentações de *Hamlet*; antes de completar 46, participado de seis montagens diversas; além de dirigir uma encenação de 1964, com Richard Burton no papel do atormentado jovem. Por quatro vezes foi Próspero; fez Ricardo III, Macbeth e Oberon duas vezes cada; Romeu, três, uma delas ao lado de Laurence Olivier, com quem alternava o papel de Mercúcio; enfrentou Lear em quatro ocasiões; foi Malvólio e Benedick, Cássio e Shylock; Ângelo de *Medida por medida*, Leonte de *Conto de inverno* e o cardeal Wolsey em *Henrique VIII*; além de ter realizado *Ages of Man*, uma compilação dos solilóquios do bardo, e fracassado como Otelo.

E esse volume de trabalho só diz respeito ao que produziu de Shakespeare, não inclui as montagens de Tchékhov — autor russo que ajudou a introduzir na Inglaterra — nem o sucesso em *Escola de escândalos*, de Sheridan; não toca em filmes como *Providence* e *O maestro*; não cita as incontáveis vezes em que dirigiu e produziu para terceiros e o sem-número de peças, películas, programas de rádio e TV que realizou ao longo dos seus quase cem anos de vida. Um curriculum vitae que rivaliza com a lista de conquistas de Don Juan.

Era um ator seguro e criativo nos ensaios, sonho de qualquer encenador. Como diretor, tinha a fama de enlouquecer o elenco com a sua capacidade de burilar as cenas obsessivamente, até esgotar todas as possibilidades. *"Am working very hard on Quex* [de 1975, com Ingrid Bergman], *driving them all mad by changing their moves every five minutes."** Atravessou o século XX e as duas guerras, confessa, à parte dos acontecimentos externos ao palco; embrenhado num único e real interesse: representar. Foi contemporâneo, colega e amigo de gente como Charles Chaplin, Orson Welles, Alfred Hitchcock, Harold Pinter e Peter Brook.

Como se não bastasse, John Gielgud é inglês. O apogeu do

---

* "Estou trabalhando duro em Quex, e enlouquecendo a todos com mudanças a cada cinco minutos."
Trechos traduzidos por Rubens Figueiredo.

branco ocidental. *"English never imagine any country but their own has any historical characters except Napoleon, Marie Antoinette and Hitler!"** E um inglês com o domínio do fluxo poético de William Shakespeare. Diante da grandeza, que obriga à reverência, fica difícil se afirmar ator, nascido e criado aqui nos trópicos.

O antídoto para tal sentimento se encontra na vasta coleção de cartas deixada por Sir John Gielgud. Nela, os anseios, glórias e incertezas, o incômodo com colegas incompetentes, a preocupação com o sustento, as fofocas de bastidores, o estoicismo perante o fracasso, a prática do artesanato teatral, a insegurança com a técnica cinematográfica, a sorte e a melancolia de ter vivido muito, o humor, a ironia, a inveja, os amores, o homem, enfim, além de um refinado talento para a escrita, o aproxima de nós, mortais.

A fluência com que escreve revela a intimidade que desenvolveu com os grandes autores. A descrição de sua primeira visita à Disney lembra *Sonho de uma noite de verão*; a acidez, Noël Coward — parceiro e amigo desde 1922. O corpo e a voz do ator são seu próprio instrumento de trabalho. Afiná-lo significa impregnar-se do conteúdo de cada autor. Um ator é o resultado dos papéis que escolheu ou conseguiu interpretar. A qualidade do trabalho de Gielgud, além do talento herdado, é resultado do rigor com que adestrou suas cordas.

Em 1966, numa rara, e talvez única, passagem pelo Brasil, se apresentou em São Paulo e no Teatro Municipal do Rio de Janeiro. No recital, acompanhado de Irene Worth, lia trechos de peças e sonetos de Shakespeare. Após uns vinte minutos de espetáculo, sua companheira foi acometida de um insistente ataque de tosse.

---

* "Os ingleses nunca imaginam que outro país que não o seu tenha personagens históricos, exceto no caso de Napoleão, Maria Antonieta e Hitler!"

Gielgud parou e esperou que ela se recompusesse. Depois de alguns minutos, prosseguiram com a rotina. Não por muito tempo. A tosse voltou. Tentaram retomar mais algumas vezes até que, como numa peça de Ionesco, Irene foi retirada de cena para resolver o problema de laringe no camarim. "Ele ficou sozinho, absolutamente rendido", conta Fernanda Montenegro, sentada na plateia da fatídica noite. Para surpresa geral, Gielgud se pôs a declamar de cabeça trechos inteiros do bardo, monólogos complexos, páginas e páginas de poesia de cor, prontas a saltarem para fora sem titubeio. "A plateia foi ao delírio. Não era mais teatro, parecia um fenômeno de prestidigitação!", lembra Montenegro.

John Gielgud é o ator de teatro por excelência. O eterno improviso do cinema, o ter que representar na rua, ter que caminhar sobre um trilho sem que se haja ensaiado o suficiente, a parada para o almoço bem no meio de uma cena difícil, a escravidão da lente, do foco, tudo parece trabalhar contra a liberdade de seu ofício. Apesar de ter arriscado uma participação nos primórdios do cinema mudo — que lhe pareceu mais uma pantomima exagerada —, manteve, durante boa parte de sua vida, uma distância segura da grande tela. No auge da carreira nos palcos, numa turnê com *Much Ado about Nothing* em Nova York, confessou sentir estranheza com relação à TV: "*I went to the Jack Paar Show last night very late — he is away (fortunately) and I was sandwiched between Paul Newman, dental plates and deodorants, and some frightful girls in velveteen slats with enormous bottoms showing fashions — rather depressing, but they say 30 million people see it and it's very good for the play*".* Mais tarde, a TV

---

* "Fui ao programa de Jack Paar na noite passada, já bem tarde — ele está fora (felizmente) e acabei ficando espremido entre Paul Newman, próteses dentárias e desodorantes, além de algumas garotas horrendas, em sapatilhas de veludo falso, com traseiros enormes, exibindo roupas da moda — deveras deprimente,

imortalizaria algumas de suas criações importantes e o manteria ativo, com grande oferta de trabalho, até os últimos anos de vida. O teatro é do ator, o cinema do diretor e a TV do produtor. Na TV, a necessidade de sustentar uma programação diária obriga o produtor a tomar para si a responsabilidade. No cinema, o diretor é quem costuma carregar o andor até as salas de exibição; os atores passam, os técnicos, tudo passa, mas o diretor fica. No teatro, o produto final pertence ao ator, sem intermediários. Uma peça se define depois da estreia, quando só restam o elenco e o público. Em centenas de passagens, John Gielgud chama a atenção para a necessidade de reensaiar, de tirar um elemento que não funciona, de rever uma intenção; jamais joga a toalha, nem mesmo diante de um fracasso iminente.

No teatro o ator domina os meios de produção e pode traçar o seu futuro artístico.

Mas as artes cênicas guardam apenas uma pálida semelhança com o que já significaram em termos de influência. Em 1950, Gielgud observa:

> It is interesting how action has been stolen almost completely by the screen nowadays, and the theatre is more given over to psychological exposition, with almost embarrassingly realistic dialogues and atmosphere and character taking the place of story situations — not the long winded perorations of Shaw and Ibsen, but the nostalgia mixed with violence which is also characteristic of Tennessee Williams and other American dramatists.*

---

mas dizem que 30 milhões de pessoas assistem ao programa e que é muito bom para a peça."

* "É interessante como hoje em dia a ação foi quase que completamente usurpada pela tela, e o teatro está cada vez mais voltado para a exposição psicológica, com diálogos constrangedoramente realistas, e a atmosfera e os personagens

Nutria desconfiança por Brecht, preferia a comoção dos russos ao distanciamento político da Cortina de Ferro. Beckett lhe provocava perplexidade. *Blow-Up* e *Zabriskie Point*, de Michelangelo Antonioni, o impressionaram imenso. Foi conservador sem perder a curiosidade para o que era vital. Talvez o fato de ser homossexual — prática criminosa na Inglaterra vitoriana onde nasceu, em razão da qual sofreu prisão e chantagem — tenha cultivado a abertura para o que não era o estabelecido. E ele tinha humor, muito humor.

Quando retomou a parceria de muitos Carnavais com Peter Brook — que havia desistido do teatro clássico e embarcado na revolução de costumes —, enfrentou meses de ensaios com laboratórios, improvisações, sensibilizações, cantos, jogos de poder e rodas de autoconhecimento. Um dia, Brook pediu que os atores viessem até ele e, um a um, o aterrorizassem. John Gielgud viu os colegas se posicionarem na frente do diretor e, cada um a seu modo, gritar, ameaçar, bater e xingar. Na sua vez, levantou-se, calmo, encarou o amigo e soltou: *"We open on Tuesday!"*.*

Esse pragmatismo se faz notar também na sua relação com dinheiro. É de esperar que um homem que lida com a matéria da qual são feitos os sonhos não tenha tempo para as vilezas do cotidiano. Mas até nesse particular Gielgud comprova estar mais próximo do circo que do Palácio de Buckingham. A forma como contabiliza os assentos vazios, ou calcula a antecedência com que uma casa esgota a lotação, ou se preocupa com o retorno que uma peça possa trazer para os produtores, o afasta do perfil aristocráti-

---

tomam o lugar das situações do enredo — nada das prolixas perorações de Shaw e Ibsen, mas a nostalgia, misturada com violência, o que é também tão característico de Tennessee Williams e de outros dramaturgos americanos."
* "Estreamos na terça-feira!"

co e denuncia a origem de saltimbanco. São inúmeras as missivas em que se preocupa com cifras. O palco é seu ganha-pão.

Animado com a possibilidade de viver o Tibério do filme *Calígula*, com roteiro de Gore Vidal, recusou o convite depois de, tendo avançado um pouco no script, perceber o cunho pornográfico do projeto. Passados meses, quando rodava *Providence*, com Alain Resnais, em Limoges, na França, recebeu um telefonema do agente dizendo que o diretor Tinto Brass lhe oferecia outro papel na película. Ele morreria numa banheira, não estaria envolvido em sacanagem, rodaria apenas dez dias e ganharia um caminhão de dinheiro pelo trabalho. Topou no ato. A descrição das filmagens de *Horizonte perdido*, onde faz o papel de um monge imortal do Everest, é de rolar de rir. Gielgud aceitou o papelão porque descobriu que o seu contador, morto subitamente, o havia deixado inadimplente com o fisco por três anos. Consciente do ridículo, assumiu a empreitada para pagar as dívidas. Esse é um caráter peculiar da profissão do ator, a necessidade de, vez por outra, emprestar o próprio rosto para algo que te envergonha.

Impressiona em Gielgud a economia e o relaxamento. *"I am entranced with Stanislavski's new book* (An Actor Prepares), *just out here. It's very technical, but I find it fascinating, especially the part about relaxing, which I would give my eyes to learn"*,* diz numa carta à mãe, de 1936. Apesar de jamais ter demonstrado propensão para o canto, as palavras soam como melodia em sua boca, entre modulações de forte e fraco, às vezes interrompidas por um comentário coloquial, que aproxima a carga poética do ouvinte banal. Não há esforço, ao menos não se percebe que

---

* "Estou em transe com o livro novo de Stanislávski (*A preparação do ator*), que acabou de ser lançado. É muito técnico, mas acho fascinante, em especial a parte sobre relaxamento, algo que eu daria os olhos da cara para aprender."

haja. Um fascinante domínio do ritmo, da cadência, da fronteira, como ele chama a atenção, entre o efeito e a verdade. *"Busca-se a verdade, mas o efeito está na base da profissão do ator."* O efeito requer treino. Em palcos como os do sagrado Old Vic — referência do teatro inglês desde os tempos da rainha Vitória — estreava-se um papel da dimensão de Lear à noite e, à tarde, se ensaiava Polônio, ou se adaptava *Crime e castigo*. Algo impensável nos dias de hoje, a não ser em Stratford-upon-Avon, onde o interesse turístico por Shakespeare ainda sustenta a encenação massiva. Essa herança, que aqui se traduziu em companhias como o TBC, de Cacilda e Paulo Autran, a Companhia Maria Della Costa e o Teatro dos Sete, foi transmitida por diretores europeus fugidos do pós-guerra. A geração de Ziembinski, Gianni Ratto e Adolfo Celi mudou a maneira de fazer teatro no Brasil.

Ages of Man, o monólogo que o acompanharia por quase quarenta anos, lhe serviu de norte durante a revolução de comportamento do fim do século XX. *"You evidently believe, as I do, that a success in classical work is the best thing to lay the foundations of a career"*,* aconselha à sobrinha bailarina, ciente do valor de suas escolhas.

Ele ainda teria êxitos no palco e faria alianças importantes — como com Harold Pinter —, mas, a partir da década de 1970, se afastaria lenta e paulatinamente do teatro. Foi na terceira idade que o cinema lhe sorriu. Nessa fase, Gielgud produziu a obra-prima de Alain Resnais, *Providence*; trabalhou com Andrzej Wajda, em *O maestro*, e realizou o sonho de filmar *A tempestade*, no onírico *Prospero's Books*, de Peter Greenaway. A impressão é a de que só aí, à beira de completar oitenta anos, Gielgud atingiu a naturalidade diante da câmera que sempre lhe escapou.

---

* "Obviamente você, como eu, acredita que o sucesso em uma obra clássica é o melhor que se pode ter como alicerce de uma carreira."

As cartas escritas durante a filmagem do épico shakespeariano *Júlio César* falam de Marlon Brando e James Mason. Ele admira o tom intimista com que Mason, valendo-se da proximidade da lente, domina o encadeamento poético de Brutus. Gielgud levaria trinta anos para perder a teatralidade; basta comparar o Cássio, de 1953, com Lasocki, em *O maestro*, de 1980.

Vale rever o discurso sobre a moral e a hipocrisia, na cena final de *Providence*; e a sugestão do mordomo, em *Arthur, o milionário sedutor*, de que a ladra Liza Minnelli *"steal something casual!"** no jantar com o patrão. *Horizonte perdido* é outro momento imperdível.

Na TV, fez incontáveis aparições, os *cameos*, no último período criativo. Estabelecido o legado, foi se desligando aos poucos da estiva braçal do palco.

I have not acted in the theater for the last three years, but I'm amazed that I don't seem to miss it and I am very lucky to be entering my 80th year still quite often in demand for films and television, though I hardly feel I made any worthy mark in either except for Providence *and* Brideshead, *both of which were well worth doing.* Arthur *was just a lucky fluke, but it seems to have made me better known than anything I have done over 60 years in the theater. Very odd and unlikely.***

---

* "roube alguma coisa banal!"

** "Faz três anos que não represento no teatro, mas estou admirado de constatar que aparentemente não me faz falta. Tenho a grande sorte de estar ingressando em meu octogésimo ano de vida, ainda bastante solicitado para trabalhar em filmes e na televisão, embora não sinta que tenha realizado nada de bom nem numa coisa nem na outra, exceto *Providence* e *Brideshead* (trabalhar em ambos valeu bastante a pena). *Arthur* foi apenas um lance de sorte, mas parece que me tornou mais conhecido do que qualquer outra coisa que eu tenha feito ao longo de sessenta anos no teatro. Muito estranho e muito inesperado."

Gielgud envelheceu com elegância, sem enfrentar a decadência nem o ostracismo. Como nunca foi bonito, e perdeu cedo os cabelos, sempre teve a aparência de um homem maduro. A idade lhe caiu bem. Aceitou fazer raros comerciais na fase final, o que lhe garantiu uma aposentadoria segura. Venceu as crises financeiras e morreu rico; zelou pelo seu patrimônio artístico para, no fim, negociá-lo a um preço justo. São raros os que conseguem. Um ator da dimensão de John Gielgud só pôde existir porque havia demanda. Isso lhe possibilitou trabalhar como um operário no que existe de mais refinado na dramaturgia. O teatro na Inglaterra é um tesouro nacional, protegido por lei e fortemente subsidiado. Gielgud atravessou o século e sobreviveu à passagem do humanismo do fim do século XIX para a sociedade tecnológica e midiática de agora.

Das sete artes liberais, base para a formação do homem livre, as três primeiras — a retórica, a dialética e a gramática — fazem parte do fundamento do teatro: saber ler, compreender e transmitir uma ideia. Gielgud foi um ser livre, e incita atores como eu a arriscar sê-lo.

Recentemente, ouvi de um publicitário — ele se ofendeu com o termo, mas não teve pudor de me chamar de celebridade — que a palavra de ordem é "sustentabilidade". Ele disse isso para justificar sua posição contrária ao patrocínio de projetos culturais pelas empresas com as quais está envolvido. O teatro, hoje, não é autossustentável. Poucas artes o são. O teatro profissional em larga escala, com elenco, cenários, iluminação e som, não se paga na bilheteria e, segundo o alto publicitário, não existirá espaço para ele na ordem econômica do terceiro milênio.

No dorso instável de um tigre

Em fevereiro de 1995, pouco depois da estreia da peça *Cell Mates*, em que fazia um dos papéis principais, o ator inglês Stephen Fry acordou, foi para a garagem, ligou o carro e tentou se matar. Mas pensou na mãe, ficou com pena dela e decidiu fugir. Passou meses desaparecido até ser encontrado na Alemanha. A peça saiu de cartaz. Fry também — segundo o próprio, para sempre. Mas voltou ao cinema, tendo feito o papel-título em *Wilde*. O motivo de largar o teatro? Aquilo que, em inglês, se chama *stage fright*.

Não existe uma boa tradução de *stage fright* para o português. "Pânico de palco" deixa a desejar. "Pânico da plateia", idem. Talvez a melhor seja "pânico de cena". O ator não teme o palco, ou a plateia, mas, sim, o risco de perder o sentido da profissão. Que razão há em fingir ser outro? É o que indaga Hamlet, no ato 2, cena 2.

Não é monstruoso que esse ator aí,
Por uma fábula, uma paixão fingida,
Possa forçar a alma a sentir o que ele quer,
De tal forma que seu rosto empalidece,
Tem lágrimas nos olhos, angústia no semblante,
A voz trêmula, e toda a sua aparência
Se ajusta ao que ele pretende?
E tudo isso por nada! Por Hécuba!
O que é Hécuba pra ele, ou ele pra Hécuba,
Pra que chore assim por ela?

No estrangeiro, os casos de paúra são célebres e inúmeros. Laurence Olivier se livrava da pressão de ter que ser Olivier xingando o público antes de entrar em cena. Depois dos sessenta, o nervoso piorou tanto, que ele cogitou desistir.

No Brasil, não conheço caso de ator que tenha sofrido do mal a ponto de abandonar a vocação e, muito menos, de pensar em se matar. O *stage fright* é privilégio das praças que levam o teatro a sério.

Aqui, os Cassetas lançaram com sucesso o slogan: "Vá ao teatro mas não me chame". O ambiente é hostil à classe teatral; mais que hostil, indiferente. Ganhar 3 mil reais por mês, ter carro, TV, fogão e geladeira é o ápice da cadeia alimentar de 95% da população brasileira. Falar em sofrimento do artista, numa realidade dessas, dá até vergonha.

"O Olivier tem *stage fright* porque o Olivier pode", resume Marco Nanini. "Eu também adoraria ter *stage fright*. Mas se eu começar a dar piti, o público desaparece." Nanini, a exemplo de Procópio, Dulcina, Marias e Fernandas, se autoempresaria. Não tem como chamar o produtor para avisar que não vai ter sessão, porque ele é patrão de si mesmo.

Nanini só sentiu algo semelhante a um ataque de pânico no

dia em que foi obrigado a entrar num aparelho de ressonância magnética. Ele sua frio quando tem de dizer a fala de um comercial nos 23 segundos exigidos e é avesso a improvisos, festas, prêmios e recepções. "Tudo isso me dá uma grande ansiedade." Mas no palco, sobretudo no teatro, onde sempre existe o ensaio e o dia seguinte, Nanini se sente em paz. Ele encara os momentos mais difíceis, as piores plateias, as peças ruins e os eventuais deslizes como parte do ofício. Para ele, existe uma diferença entre o temor que é uma das dificuldades naturais e aquele outro, anormal, do curto-circuito. O primeiro ele sempre sentiu. O segundo jamais o ameaçou.

Gosto da observação. Até que ponto a angústia em cena pode ser considerada um mal tratável? Ela é o motor do comediante. Controlá-la é que é a arte do negócio.

Pedro Cardoso conta, como se fosse um segredo importante — e é —, que o diretor Amir Haddad o ensinou a ficar calmo, a relaxar sem perder a loucura. Ayrton Senna garantiu ter visto Deus enquanto dirigia o Fórmula 1 a trezentos quilômetros por hora — Deus, através do Ayrton, desenhava linhas perfeitas nas curvas fechadas da pista de Mônaco. Com o ator não é diferente. Superar o esforço leva a um estado de graça onde não existe mais o intérprete.

Os iniciantes vivem, por natureza, em estado de pânico. Confundem nervosismo com vigor e acabam no psicodrama. Algumas atuações beiram a paranormalidade, de tão físicas e guturais. Todo encenador tirano encontra na inexperiência do elenco um prato cheio para o exercício do sadismo.

Sérgio Britto participou de uma peça de vanguarda que contava com uma jovem diretora. No ensaio, todos os exercícios buscavam a tensão. Enrijeciam-se os dedos do pé, subia-se pelo corpo até travar a cabeça. Só depois de muito, mas muito tensos, o texto era posto pra fora. A certa altura, Sérgio percebeu que já não era possível compreender o que os colegas diziam. "Não tem problema", afirmou a diretora, "o importante é que eles estejam tensos." O exorcismo mascarava o medo.

O *stage fright* requer sutilezas e costuma atacar os mais experientes, os que aprenderam a domar a vaidade e a necessidade de agradar. É uma síndrome que acomete pessoas que, depois de ter encontrado, acabam perdendo a razão de estar em cena.

O único ator brasileiro que padeceu a ponto de poder dizer: "Eu senti *stage fright!*" foi Sérgio Cardoso. Aconteceu nos anos 1940, na temporada de *Hamlet* no Teatro Fênix do Rio de Janeiro.

Sérgio Cardoso fazia parte do Teatro do Estudante, grupo criado por Paschoal Carlos Magno para "qualquer pessoa que quisesse estudar teatro e tivesse menos de trinta anos". Ao terminar de se maquiar, tenso, no camarim, Sérgio chamou a produção para informar que não haveria espetáculo. Ordenou que devolvessem os ingressos, não sabia fazer o papel, não sabia, não sabia… Sérgio Britto, o fiel Horácio, ameaçou chamar o pai do amigo, seu Francisco — seu Francisco era muito severo. Funcionou. O ator preferiu enfrentar o fantasma do pai do príncipe a enfrentar o seu, e mandou levantar a cortina.

Dono de uma vocação suicida, que beirava a insanidade, Cardoso quase levou a mão de Britto num juramento de espadas e fez a peruca do mesmo voar longe, numa cena de ódio ao padrasto. Ele sacudia tão furiosamente a mãe, Gertrudes, que os peitos da atriz saltavam para fora do decote. Como sua pressão arterial variava de acordo com o batimento cardíaco dos papéis que compunha, Sérgio desmaiava com frequência após as apresentações. Tinha um sopro no coração. Morreu aos 47 anos, vítima das vidas que encarnou. Foi o mais próximo de Olivier que chegamos.

Nos anos 1960, no auge do teatro experimental, um autor assistiu a inúmeros ensaios de improvisação com o objetivo de criar um texto a partir do coletivo. Por fim, reuniu o grupo para anunciar que o texto dele iria ser o *não* texto. O diretor, então, decidiu que a sua direção também seria uma *não* direção. Ao que os atores concordaram, em uníssono, em investir na *não* interpretação.

Fauzi Arap, extraordinário diretor, autor e ator — o bêbado niilista de *Os pequenos burgueses*, na histórica montagem do Teatro Oficina, de 1963, e homem que influenciou Maria Bethânia a ser quem é —, abandonou a ribalta sem maiores explicações. Ele teria desistido no meio de uma cena com Tônia Carrero. Na hora da deixa, teria parado e dito: "Eu não sou ator! Eu não sou ator! Eu não sou ator!", e saído porta afora.

Confirmei com o Fauzi: a história é lenda. "Parei de atuar porque descobri como ganhar a vida de outra maneira, me expondo menos." Ele passou a escrever e deu prioridade à direção. O teatro era uma experiência tão vertiginosa, que Fauzi não quis, ou não conseguiu, fazer dela um ganha-pão. "Eu não me via ator."

Quem o viu em cena diz que a plateia o seguia como a serpente ao encantador. Seus personagens *queriam* e *não queriam* falar, tanto quanto ele *queria* e *não queria* representar. Fauzi explorava a tensão, a suspensão, entre a *vontade* e a *contravontade*; o princípio da ação.

Durante um curso que ministrou para jovens dramaturgos, o diretor Antunes Filho, irritado com o blá-blá-blá dos diálogos, desabafou, possesso: "Vocês não percebem?! O personagem não quer falar!!! O personagem não quer falar!!!".

O pesadelo mais recorrente do ator é não conseguir lembrar o texto. O pânico de cena e a falta de memória costumam caminhar de mãos dadas.

O diretor e ator francês Louis Jouvet — Madame Morineau é testemunha — exigia que um ator da companhia ficasse parado, olhando-o nos olhos, enquanto ele repassava as falas, minutos antes do terceiro sinal. Marlon Brando distribuía dálias — colas com o texto escrito — pelo cenário, pelos atores, figurantes, pelas árvores, postes, bancos, e por onde quer que seus olhos fossem dar. A insegurança nasceu com o teatro.

Desde a Grécia, a superstição manda que se deseje o pior para o elenco na noite de estreia. O objetivo é desviar a atenção dos deuses invejosos para os êxitos aqui na Terra. O "merda" e o "quebre uma perna", da tradição anglo-saxã, são frutos da crendice. Servem para manter os demônios do ego e do exibicionismo afastados.

O deus do teatro não é Narciso; é Dionísio, o doido, o catártico, o do vinho, o do êxtase. É preciso livrar-se de Narciso. O ator necessita que o público embarque na sua mentira, tanto quanto uma criança precisa da outra para brincar de polícia e ladrão. É um fingimento mútuo: eu vou fingir que não sou eu e você vai fingir que acredita. A expressão em inglês — *suspension of disbelief*, "suspensão da descrença" — define o estado do espectador que aceita a ilusão criada em seu benefício.

Na primeira vez em que eu pisei num palco profissionalmente, o abismo, a quarta parede, lá onde fica o público, era isso mesmo: um enorme buraco negro prestes a me sugar. Eu fazia Cordélia, no *Rei Lear* de Sérgio Britto. Cordélia passa duas horas fora de cena, entre o primeiro e o último ato. Para matar o tempo, comecei jogando Columbia no fliperama vizinho; depois, dei para arriscar jantar em casa. Quando voltava, não havia jeito de me convencer de que o Teatro Clara Nunes era a Cornualha. Certa de que meus colegas tinham todos enlouquecido no terceiro andar daquele shopping, sofri sucessivos ataques de riso ao longo da temporada. Eu ria morta, ria em pé, ria parada, ria no agradecimento. Ria, ria, ria. Eu levava bronca do elenco, a culpa abatia, mas, na hora H, era impossível resistir. Foi um descontrole, um pânico, o meu pânico de cena.

Não seria o último.

Na estreia de A *casa dos budas ditosos* — anos depois da risonha Cordélia —, combinamos, eu e o Domingos de Oliveira, diretor da peça, acender a luz sobre a plateia em alguns momentos do espetáculo. O teatro do Centro Cultural Banco do Brasil de São Paulo é pequeno, tem cento e poucos lugares. No dia, apareceram a crítica Barbara Heliodora, o diretor Antunes Filho e o cineasta Hector Babenco; a sensação era a de que a casa adernava para o lado deles. Quando a luz banhou os espectadores, percebi que um dos refletores estava direcionado exatamente sobre a cabeça do Babenco. A careca reluziu e eu vi que ele não demonstrava sinais de entusiasmo. Fui mordida pela vergonha. Será que ele me acha ruim?, pensei. Lembrei do *Pixote*, do filme do Fittipaldi, do *Beijo da mulher aranha* e de uma péssima leitura que eu tinha feito do *Carandiru*. Vaguei. O Babenco acendeu e apagou algumas vezes, cada vez mais entediado. No dia seguinte, mandamos apagar de vez a plateia.

Pior que estreia, só pré-estreia. Uma empresa de construção civil de São Paulo topou comemorar seu aniversário fechando uma sessão de A *gaivota*, de Tchékhov, que produzi com minha mãe. A montagem não primava pelo ritmo e foi servido um jantar acompanhado de vinho, no foyer, antes da apresentação. No fim do primeiro ato, ouvimos os primeiros cochilos. Lá pelo meio do segundo, a firma roncava sem cerimônia. No final, a gente via um acordando o outro para aplaudir.

"Perseverar é a condição primeira do artista", diz Nina a Treplev, minutos antes de ele se matar.

Fui retumbantemente vaiada duas vezes. A primeira no estrangeiro, em alemão, quando aprendi o significado da palavra

"Scheisse" — "merda". Os alemães aplaudem com os pés, marchando sobre o praticável das cadeiras. Um dia antes da vaia, havíamos encenado *Flash and Crash Days*, um *terrir* inesquecível que fiz com minha mãe e Gerald Thomas. Na fatídica noite, apresentamos um *work in progress* intitulado *Saints and Clowns* que se iniciava com o discurso de renúncia do Gorbatchóv. No fim do adeus do presidente, o muro caía, derrubado por um homem das cavernas, que arrastava o político para dentro de uma carcaça de dinossauro — a cena tinha impacto. A partir daí, a peça não costurava mais lé com cré. Encerrávamos com a *Nona* de Beethoven, hino da União Europeia. Os urros de aprovação do *Flash* se transformaram num *taconeado* viking, acrescido de vaias. Eu pensei que fosse apanhar. Mesmo abatida, não deixei de achar glorioso.

O outro levante aconteceu no Tuca — o teatro da PUC de São Paulo —, palco de vaias bem mais importantes que a minha. O burburinho começou porque o público quis a devolução do dinheiro, e com razão. Tratava-se de uma versão pra lá de confusa de *Don Juan*. Bilheteria fechada, o pessoal achou que era o caso de voltar para protestar. A plateia do Tuca tem uma inclinação acentuada, são setecentos lugares que se estendem a perder de vista. O mugido veio rolando lá do fundo, em onda, como uma cascata sonora. Foi bonito, imponente.

No teatro, o vexame é contornável, a glória também; nada é permanente. É desagradável ter de estar presente nos momentos embaraçosos, mas passa. Cinema não passa. Cinema fica. O Canal Brasil é conhecido entre a classe pelo nome de Quem Deve Teme.

Uma cena emocionalmente complicada, no cinema, exige que você passe o dia com os nervos no micro-ondas. Vai filmar? Esquenta, lembra das motivações do papel. Ah, não vai mais?! Vai fazer o contraplano antes, comigo de costas? Você faz, já gasta um pouco do que represou. "Almoço!" Você enche a barriga, fica com sono porque acordou cedo, se distrai com uma conversa besta; "Vamos filmar!". É agora: o close, a chance da tua vida. Cadê o sentimento sutil que te envolvia três horas antes? Foi-se com a espera, o tédio, o estrogonofe e o cafezinho. Você faz força para se lembrar de qualquer detalhe tocante; rápido, vai rodar. O barulho da câmera, *truuuuuuutruuuuu*, o custo da película, a equipe esperando, a luz que está caindo, a locação que não pode ficar para a semana que vem e a emoção que se foi.

Cinema é muito desconfortável.

Durante os intervalos das filmagens de *Carandiru*, Wagner Moura e Lázaro Ramos costumavam tomar sol no pátio do presídio. Como a outra ala da carceragem ainda estava ativada, os presos se penduravam nas grades para gritar: "Tu é marginal porra nenhuma! Tu é veado! Ô VEADO!". Ambos desistiram do banho de sol.

"A pior coisa que existe é você estar com a entidade no corpo e os outros insistirem em falar com o cavalo." A frase é do Amir Haddad, o mesmo que ensinou Pedro Cardoso a ficar calmo. Amir faz teatro de rua e se desespera quando algum conhecido passa berrando: "Ô Amir!".

Domar os sentimentos é um exercício mental gigantesco. Minha mãe só conceitua depois de criar uma imagem na cabeça. Ela fabrica uma alucinação e a projeta para o público. É um trabalho que acontece no invisível, de forma tênue, frágil, requer concentração. O pânico vem da autoconsciência, da memória de que você é você mesmo, da censura interna e de qualquer ruído que lembre o ridículo da situação.

Na antiga cidade grega de Pela, existe um mosaico com a imagem de Dionísio cavalgando as costas de um tigre. Para o deus do teatro, o palco, assim como o chão que pisamos em vida, é o dorso instável de uma fera. Se um ator, numa fração de segundo, se der conta de que quem está ali é ele, o mortal, e não outro, imaterial, terá a carne exposta e será abocanhado pela besta.

A peça em que Renata Sorrah mais tremeu, de bater o queixo na coxia, foi um texto de Pirandello com o sugestivo título de *Encontrar-se*.

Tudo se resume à primeira fala do primeiro ato de *Hamlet*: "Quem está aí?"

Dercy

Nesta semana, morreu Dercy Gonçalves. Dercy gostava de ir ao teatro, conversamos algumas vezes no camarim. Por trás da irreverência, dos palavrões, do escracho e dos peitos de fora se escondia uma cabeça lúcida e arguta. Eu adorava a Dercy.

Tive a honra de tê-la na plateia de A *casa dos budas ditosos*. Na saída, ela me disse que eu havia entendido que um ator não pode representar. "Ele deve ser", afirmou ela.

Ser ou não ser. Foi o maior elogio que eu já recebi.

No dia em que Dercy foi assistir a A *gaivota* — adaptação da peça de Anton Tchékhov dirigida por Daniela Thomas —, minha mãe, Matheus Nachtergaele, Celso Frateschi, Antônio Abujamra, Nelson Dantas e eu interrompemos os aplausos para dedicar a sessão a ela. O público redobrou as palmas e, quando já estávamos prontos para fechar a cortina, percebemos uma figura pequena se encaminhando para o palco com a ajuda de uma bengala.

Era a Dercy.

Elétrica, se virou para os espectadores e comentou em voz

alta: "Como é que esse homem pode saber tanto da minha vida?! Como é que esse russo pode ter escrito a história da minha vida?!".

Assim como a heroína russa, Dercy deixou sua cidade natal, Madalena, por um amor e pelo circo.

Equilibrada num salto alto, subiu com desenvoltura a escadinha sem corrimão que dá acesso à ribalta, se juntou ao elenco e repetiu que *A gaivota* era a aventura da vida dela. Dercy agradeceu de mãos dadas conosco, se curvando em reverência, como se tivesse acabado de fazer o espetáculo. O pano caiu com ela em cena. A plateia foi ao delírio.

Dercy Gonçalves é a melhor tradução para o português de Nina Mihailovna Zarechnaia.

Dória

Jorge Dória desvirtuou Fernando Torres. Foi ele que arrancou o meu pai da faculdade de medicina e apresentou-o ao teatro e à boemia.

Quando meus pais se casaram, em 1953, Fernando partiu em turnê com a companhia de Eva Todor e Fernanda ficou no Rio. A saudade o fazia datilografar compulsivamente, o que lhe valeu o apelido de Taradinho Underwood, dado por Dória.

Millôr Fernandes, Nelson Rodrigues, Sérgio, Ítalo, Zanoni Ferrite, Barbara Heliodora, são pessoas com quem convivo e convivi por osmose. Tenho por eles um apreço que atravessa os seus feitos como artistas; são parentes, são de casa.

A genialidade do Dória é intraduzível. Era um louco devasso, tio, amigo fiel. Jamais esqueci da sua descrição da visão de Íris Bruzzi — sua mulher de então — montada num trator no sítio deles. As coxas na engrenagem, a loura ideal, a mulher da terra; a suculência era tamanha que o instante me ficou marcado como se eu o tivesse presenciado.

Trabalhamos juntos na TV. Esperávamos para gravar um take

dentro de um carro, enquanto uma atriz, que havia sido um fenômeno de beleza, atravessava a rua em frente. Dória esperou que ela ensaiasse uma, duas vezes, até que, na falta de um amigo homem, soltou:

"Essa foi uma que embruacou."

Continuamos mudos após o comentário. Eu, de certa forma, orgulhosa pelo fato de o mentor do meu pai segredar uma cafajestice tão sem cerimônia para mim.

Mas era em cena que a loucura de Jorge Dória reinava absoluta.

Em *Escola de mulheres*, vi-o aproximar-se do proscênio e dizer: "Ali é a minha casa", enquanto apontava para o fundo da plateia, indicando o local.

Em vez de dar continuidade ao solilóquio, Dória encarou uma senhora na primeira fila e, após uma pausa estratégica, atacou:

"Não, minha senhora, ali não é a minha casa. Isto é teatro. Quando eu indico o fundo não quer dizer que a minha casa esteja lá. Não precisa se virar, basta a senhora imaginar que a minha casa está lá."

Usando a espectadora de escada, Dória avançou num improviso bestial. A peça parou por bons cinco minutos para discutir a questão do ser ou não ser, do existir, ou não, a suposta casa.

O leão gostava de deixar Molière à espera.

Na peça, o terror dos maridos de Paris, Arnolfo, temendo a cornidão do casamento, cria uma virgem pura com quem pretende se casar. Na versão brasileira, Dória embalava a inocente Inês num balanço que caía do urdimento. Era bonito. O que o público não percebia é que, a cada balançada, Dória aproveitava para passar a mão na bunda da jovem atriz. Virou marca. Depois, ele partiu para o improviso. A pobre foi à loucura. Literalmente. Largou o espetáculo e se internou num sanatório.

Dois atores desistiram da fera, durante a temporada de *O tributo*. Kiko Mascarenhas assumiu o papel de Jud — Júlio na tradução —, filho de Dória. Em dada cena, Scott Templeton — virou Peter em português —, o pai, mostrava ao rapaz o álbum de fotografias da família.

"Esta é mamãe no alpendre com tio José e as meninas", dizia ele, apontando para uma fotografia, "e esta é vovó e tio Carmelo a cavalo, na casa de tia Juquinha."

O detalhe extraordinário é que o próprio Dória recortara imagens pesadíssimas de orgias e bacanais, de troca-trocas e felações, de sodomias e taras que fariam corar o mais liberto dos homens, e grudara nas páginas. Kiko, o único a enxergar as safadezas, desenvolveu uma técnica para controlar o riso. Ele olhava impávido para as vovós e titias e fingia emoção. Quanto mais mantinha a linha, mais Dória baixava o nível da colagem. Um dia, decepcionado com o autocontrole do colega, jogou a toalha.

"Meu filho", disse, "você não é humano."

Em *A presidenta*, vestindo tailleur à moda Dilma, Dória se queixava das atribulações do cargo. De repente, sem avisar, começava a dar detalhes das lavagens íntimas no bidê. Dizia que gostava de colocar as partes no sol da manhã, falava dos benefícios da prática. Aos poucos, ia levando o público a um estado de gozo ininterrupto.

Domingos de Oliveira — que o dirigiu em *Escola de mulheres* — diz que Dória ambicionava não o riso, mas o frouxo. Ondas de deleite contínuo. A submissão completa do espectador.

Celso Nunes mandou uma carta para minha mãe lamentando a morte do mito. Nela, lembrava um encontro que tiveram para convidar Jorge para fazer o primo escroque de *Seria cômico se não fosse sério*. O gênio preparou uma blague, disse que tinha vindo para o teste e tirou de uma mala diversos bigodes, barbas e perucas. Diante de um Celso, uma Fernanda e um Fernando boquiabertos, listou as ene possibilidades do papel, trocando de cabelo a cada investida.

Dória era Gassman, Procópio, Matthau e Tognazzi juntos. Não tinha, e não tem, pra ninguém.

Coutinho

Conheci Eduardo Coutinho em 2003, no laboratório de roteiros que o Festival de Sundance promoveu, em parceria com o Sesc de São Paulo. O *Redentor* não teve a sorte de contar com ele como analista, mas o sistema de imersão tratou de nos aproximar. Convivíamos nas horas vagas, nos longos jantares onde todos disputavam a sua atenção.

Coutinho já era o autor de *Cabra marcado para morrer* e *Edifício Master*, mas o que encantava eram o mau humor persistente, a magreza de santo, o cigarro inseparável e a ironia fina.

Uma noite, a conversa evoluiu para Tchékhov. Eu contei que havia feito uma adaptação de *A gaivota* que jamais funcionou a contento, depois de levantada a cortina. "Nossa melhor apresentação", confessei, "foi um ensaio geral, antes de botarmos os pés no teatro."

"Tchékhov não foi feito para estrear", disse ele com razão.

Anos mais tarde, Coutinho me convidaria para participar de *Jogo de cena* — documentário que explora a fronteira entre o falso e o verdadeiro. Nele, atrizes e mulheres comuns se alternam narrando umas as histórias das outras.

Duvidei da minha capacidade de chegar a um resultado aceitável desde o dia em que recebi o material. Era uma batalha perdida, atingir uma interpretação convincente de um depoimento que se mostrava tão fresco, e próprio, na boca de quem o viveu.

O fato de ser uma atriz conhecida depunha contra. Era mentira porque partia de mim, alguém que vivia de fingir. Mesmo descrente, me empenhei na tarefa. No dia marcado, dirigi até o teatro onde Coutinho filmava os depoimentos.

Esperei no camarim, ele disse que me chamaria com a câmera já valendo. Subi as escadas concentrada e sentei na cadeira em frente à câmera em estado de representação.

Coutinho soltou uma exclamação em tom alto: "Nossa, você falou igual a ela". Eu tentei seguir em frente, mas ele insistiu em me chamar pelo meu nome. Pânico.

Coutinho não percebeu e continuou a me perguntar sobre o melhor lugar para ele se posicionar, mencionou a sua falta de jeito, pediu que eu dissesse a hora de começar, mas a hora já havia passado. Esfriei. Não teve mais volta.

Tentei atacar a fala, mas um diabo insistente me sussurrava no ouvido: "É mentira!". Parei. Foi melhor parar, admitir que eu não acreditava no que estava dizendo. Tirei zero na prova.

Como velho comunista que era, acho que Coutinho, embora carinhoso, guardava certas reservas com relação a pessoas como eu. Ele usava palavras como "estrela" e "celebridade" para me definir. Era bastante sedutor, apesar de tímido, e muitas vezes cruel nas observações.

Ele me mostrou o material com grande ansiedade, tinha receio de que eu não liberasse, que ficasse ofendida, ou tivesse problemas de me revelar frágil. Reagiu aliviado e surpreso quando viu que eu não criaria problemas.

Fiel ao que ouvi dele no laboratório do Sundance — que Tchékhov não foi feito para estrear —, aceitei tornar público o aperto. Coutinho eternizou o torturante ensaio. Na maior parte do tempo, é naquele estado que os atores vivem.

Eu sempre achei que a trava dele com o mundo, a inadequação confessa, a dedicação ao fumo, o olhar severo ainda que humorado, fosse herança da esquerda. Como também achei que o cigarro o mataria.

Nem uma coisa nem outra. A realidade, como nos seus melhores filmes, superou a ficção.

Acaso

O homem é uma realidade finita que existe por sua própria conta e risco. O homem irrompe no mundo e depois é que se define, mas no princípio ele é nada. Ele não será nada até o que fizer de si mesmo: Logo, não há natureza humana, porque não há Deus para concebê-la. O homem simplesmente é não apenas o que concebe de si mesmo, mas o que deseja ser. Esse é o primeiro princípio do existencialismo, tido equivocadamente como uma filosofia negativa, de angústia e do fracasso. Não! É uma teoria que afirma que o homem está lançado e entregue ao determinismo do mundo, que pode tornar possíveis ou impossíveis as suas iniciativas. Esta contingência é a liberdade na relação do homem com o mundo. O acaso é quem tem a última palavra.

Essa é a abertura da peça *Viver sem tempos mortos*, uma compilação de textos de Simone de Beauvoir e Jean-Paul Sartre, que minha mãe levou para o palco um ano atrás. A peça nasceu do desejo de falar da influência do casal de filósofos na geração dela e do impacto da morte do meu pai.

Minha mãe se preparou na surdina, sozinha, por mais de um ano, antes de começar os trabalhos com o diretor Felipe Hirsch. *Viver* estreou na periferia do Rio. Eu estava trabalhando muito, com dois filhos, e acabei não assistindo a nenhum ensaio do que ela gostava de chamar de recital.

Um dia, fui tomada pelo absurdo de pensar que minha mãe perambulava com Simone de Beauvoir pelo subúrbio do Rio, sem que ninguém da família estivesse presente. Num misto de curiosidade, culpa e carência, rumei para o Sesc Nova Iguaçu. As luzes do teatro se apagaram e eu a vi entrar em cena, sentar numa cadeira — da qual não se levantou até o fim do espetáculo — e dimensionar esse conceito de Sartre sobre a liberdade e o acaso.

Chorei. Chorei por tudo, pela profundidade de artista que é minha mãe, pela obstinação profissional dela, pela falta que o meu pai me faz e pelo choque com a clarividência cruel, pausada e seca com que a mulher que me criou emitia aquelas palavras.

Nós conversamos inúmeras vezes sobre a alegria e o desespero de estar vivo, mas eu jamais a vira falar da plenitude da escolha e da aceitação do sofrimento de maneira tão pragmática.

De vez em quando, filho leva o susto de ver a mãe, alguém tão embolado com ele, existindo lá, nela, com as dores e as alegrias que lhe pertencem.

Voltamos juntas no carro, eu e minha mãe de sempre; a outra escondida em algum lugar.

Dois mil e nove está terminando. O funil de fim de ano foi especialmente funesto. Muitas doenças, perto e longe de mim, notícias de morte e desengano de gente da minha idade ou bem mais jovem do que eu.

Algumas tragédias são tão injustas que fazem crer que o soberano acaso, deus brutal e indiferente, tem mesmo a última palavra. Não há porquê, não existe lógica ou justiça suprema nos julgando de fora. Deve-se aceitar que *é* assim.

Amora Mautner me disse que Jorge, seu pai, homem que adoro e admiro, deixou um recado na secretária eletrônica que dizia: "Amora, a prova de que o destino existe é que ele acontece!".

Sabe tudo o Mautner.

Que 2010 nos seja leve.

13 DE SETEMBRO de 2008
Despedida

Uma da manhã do dia 4 de setembro. O telefone tocou no escritório, eu tinha ido para a cama às dez e meia, com meus dois filhos, mandando às favas os manuais de psicologia moderna. Eu sabia o que era. A médica já havia me aconselhado a falar tudo o que eu desejava dizer para o meu pai, pois não haveria outra chance. Podia ser a qualquer momento: amanhã, hoje, ontem, talvez mês que vem. Na última semana, o estado de saúde dele se agravara. Eu me afastei por sete dias, a vida atropelando, a covardia de filha também. Quando voltei a vê-lo, levei um choque. Como é possível piorar quando já não se vai bem? Ele estava dopado, semiconsciente, e sofria com a falta de ar e as dores. Estava recostado na poltrona de sempre, respirava oxigênio, com o peito arfando como um fole. Falávamos alto para que ele ouvisse, mas a dor era o que mantinha a sua atenção acesa. Minha mãe, a conselho da médica, esperava os quinze minutos que faltavam para dar mais um quarto do terrível santo remédio que o afastaria da dor e de nós também. Sentei com minha mãe no sofá e ela chorou olhando para ele na poltrona de sempre, disse que não queria que ele sofresse mais, mas também não queria vê-lo partir. Desde então, eu esperava pelo telefonema. Atendi. Meu irmão avisava que minha mãe estava chamando. Sem ter com quem deixar meu bebê, levei-o comigo. Cheguei junto com a médica. Meu irmão falava alto, no quarto, enquanto segurava a testa dele. Descrevia os presentes. Minha cunhada segurava a mão do meu pai com força. Toquei no seu braço segurando meu filho, disse que havia chegado com o neto dele. Meu pai ofegava numa respiração curta. Deixamos o quarto para que ele, mesmo inconsciente, não nos ouvisse conversar sobre uma suposta transferência para o hospital. Meu irmão voltou para perto dele com minha cunhada e eu fiquei no escritório para dar de mamar ao meu filho, na companhia de minha mãe. Um minuto, nem isso, o enfermeiro cruzou o corredor com os olhos assustados, procurava a doutora. Voltamos correndo para junto dele, mas meu pai não estava mais lá. Quando meu irmão mencionou a remoção para o hospital, ele abriu os olhos, disse um não e respirou pela última vez. Ficamos ali em volta dele, nossos últimos momentos com o corpo do meu pai, nossos últimos momentos juntos: eu, meu irmão, minha mãe e ele. A estranheza de, apesar de tão perto, não ter estado ao seu lado no último suspiro e o alívio de tudo ter acontecido em casa, sem corredores de hospitais, sem CTI, tubos e bisturis. Humano, demasiado humano. E, no meio de tudo, meu filho rindo, de colo em colo, apontando para a frente. E o rosto do meu pai relaxado, como fazia tempo eu não via. E minhas lembranças de infância embaralhadas na cabeça: Veneza, Itaipu, a lição de escola na casa do Jardim Botânico, meu pai em todas as idades, todas iguais e equivalentes. E o corpo morto, cada vez mais morto, se é que isso é possível. Essa noite virou minha companheira. Por isso, talvez, eu esteja aqui escrevendo, para nunca mais me esquecer dos detalhes dela. Porque, como diz meu irmão, estranhamente, eu sinto saudade daquela hora.

5 DE SETEMBRO de 2008
A dança da morte

Seria cômico se não fosse sério, de Friedrich Dürrenmatt, foi o melhor espetáculo teatral que meus pais produziram. Baseada na *Dança da morte*, do dramaturgo sueco August Strindberg, a peça se passa no princípio do século xx e narra a história de um general aposentado, Edgar, e sua esposa, Alice, que vivem às turras, isolados num farol. Um primo mafioso, depois de cometer alguma falcatrua, se refugia na torre e desassossega a vida do casal por doze vertiginosos rounds. No fim, o cafajeste se manda, devolvendo o par à solidão.

Jamais vou esquecer do meu pai, vestido de general da Primeira Guerra Mundial, executando a dança dos boiardos. Era sensacional. Lá pelo terceiro quarto, Edgar se levantava louco, altivo, e dizia:

"Agora vou dançar a dança dos boiardos!"

E começava uma coreografia ensandecida, meio russa, meio gaúcha, pulando em torno de uma espada no chão. Querendo exibir vigor ao primo escroque da esposa, Edgar dança até o limite das forças e acaba sofrendo um avc. A peça termina com

Edgar numa cadeira, sequelado pelo derrame, e Alice arrumando a casa.

Era de uma beleza terrível, cortante, teatro com T maiúsculo. Quem viu sabe.

E, como com Dionísio não se brinca, havia ali o prenúncio de algo que viria a acontecer com os dois anos depois, só que de maneira mais redentora. Minha mãe cuidaria dele, e ele dela, mais ela dele, por problemas de saúde, no terço final de seus 57 anos de casados. Uma amiga gostava de dizer que meu pai ainda estava vivo porque minha mãe queria assim.

Em 1986, ele sofreu a primeira isquemia, não detectada, durante a representação da tragédia grega *Fedra*. Meu pai esqueceu o texto em cena e, como a neurologia ainda estava engatinhando, demoramos anos para entender que não era apenas um problema psicológico, mas físico; o início da dança da morte que levaria vinte anos para se realizar.

Meu pai é um mistério tão grande para mim que fica difícil falar dele num artigo. Mas como todo pai é um mistério para os filhos, ao contrário das mães, que são desabridas, arrisco um perfil.

Dono de um humor que seria cômico se não fosse sério, homem doce e sádico, careta e tresloucado, velho e criança, meu pai foi produtor, diretor e ator.

Teve a coragem de largar a medicina, enfrentando o pai — médico e político dos tempos do café com leite —, para seguir uma profissão etérea. A fagulha aconteceu durante o trote da faculdade, na Cinelândia. Ele gritou "Fiat lux!", e as luzes da praça acenderam numa sincronicidade cósmica.

Devo a ele a curiosidade científica, devo a ele o cinema, a infância, Itaipu, Veneza, Machu Picchu e Buenos Aires. Devo ao meu pai tudo o que sou que não é ser atriz e, certamente, devo a ele a promessa de alguma serenidade diante da velhice e da morte.

Como o Fernando adoeceu há tempos, as lembranças do homem de teatro, do pai jovem e doidão, do barbudo abatido pela censura do *Calabar*, se misturam com as do Fernando de saúde frágil, com quem convivi no terço final de sua vida. É muito difícil para um filho lidar com a doença de um pai. Por isso, gostaria de agradecer às diversas pessoas que nos ajudaram nesse período: as fisioterapeutas Fernanda e Roberta, os enfermeiros Jorge e Cristiano; e os de casa: Jadir, Rose, Gutman, nossa amada Carmen, que sabem a importância que tiveram. Em especial, a dra. Lúcia Braga, do Hospital Sarah Kubitschek, que deu ao meu pai dez anos a mais de vida, libertando-o de uma medicina desumana, cortando catorze medicamentos e colocando no lugar o teatro, os barcos, o pingue-pongue e a vida; e a dra. Claudia Burlá, geriatra, profissão cuja profundidade eu só fui entender na noite em que meu pai morreu, em casa, conosco, sem tubos ou CTI. A morte do meu pai foi uma experiência tão caseira, apesar do sofrimento e da dor, que me fez, por alguns segundos, achar que esse absurdo que é a morte, afinal de contas, pode fazer parte da vida.

Uma salva de palmas pra ele porque ele merece.

5 DE SETEMBRO de 2013
São Bento

Meu pai faleceu há cinco anos, na madrugada de 4 para 5 de setembro de 2008. Todo ano, em sua homenagem, minha mãe celebra uma missa no Mosteiro de São Bento. Vamos só nós, mesmo, a família pequena e os que, de tão próximos, se tornaram parentes. Eu nunca havia reparado, mas a bela edificação — fundada por beneditinos baianos no morrote que dá vista para a baía de Guanabara — é o lugar do Rio que mais lembra Salvador.

O Rio colonial foi soterrado pelos automóveis, mas, agora, com as obras de revitalização do porto, já é possível imaginar o alto do São Bento com o mar, o Museu do Amanhã e a cobertura sinuosa do Museu de Arte do Rio ao fundo, sem o horror da Perimetral sujando tudo no meio.

Padre Matias rezou uma missa exemplar, falou da importância do pai, foi muito bonito. Uma mãe e uma filha pegaram carona na oração. Era aniversário da menina e as duas foram até a igreja para comemorar a data. O monge incluiu a saudação do cumpleaños da jovem na missa do meu pai. Fez bem, a vida é isso mesmo, nascimento, vida, morte e ressurreição na memória de quem fica.

Atrasamos um pouco o início da sessão, a mudança de sentido das ruas tornou o acesso confuso. Enquanto aguardávamos os últimos amigos chegarem, quis saber o porquê de Matias ter escolhido o sacerdócio. Sempre me intrigou a razão que leva um jovem a optar pela reclusão e pelo celibato da batina. Matias contou que fugiu de casa para ser padre. A família não queria, a mãe se deprimiu, o pai calou-se e os irmãos tentaram demovê-lo da ideia, mas o menino havia nascido para o clero. Dono de um caráter reflexivo, sentiu, desde cedo, a inabalável vocação. "Eu gostava de ler e meditar", diz ele, "seria um desastre numa paróquia, gosto do isolamento e do estudo."

Trocou Natal pelo Rio de Janeiro antes de completar vinte anos. Em 1965, quando chegou, o mosteiro hospedava 75 internos, hoje são 39. A renovação dos quadros não acompanhou a velocidade dos óbitos. Está cada vez mais difícil encontrar seres vocacionados como Matias.

Ouvindo-o falar sobre o enfrentamento com a família e a recusa dos pais em aceitar sua opção monástica, tive a impressão de estar testemunhando a saga de um contestador, mas não, era a rebeldia da castidade.

Na saída, Matias quis nos mostrar seu paraíso. Uma porta, à direita de quem sai, protege a entrada do claustro. O monge a abriu e convidou os homens a entrarem, enquanto as mulheres esperavam no umbral. Um pedaço do século XVII intocado, com um jardim interno cercado pela construção portuguesa, guardava a santa paz. Compreende-se, ao vislumbrá-lo, que Matias queira permanecer ali, longe do ruído do mundo. Entende-se, também, o porquê de Diogo de Brito Lacerda ter doado o terreno aos monges em troca de ser sepultado na capela principal e ter seu nome encomendado numa missa, todos os dias, até o fim dos tempos.

Entre muitos mistérios, o São Bento possui um quarto de hóspedes para abrigar almas inquietas, carentes de uma palavra, ou necessitadas de afastamento e silêncio. Fica a dica para quem precisar.

Exéquias

Em 1897, uma expedição científica ao Ártico trouxe uma família de inuítes para ser estudada no Museu de História Natural de Nova York.

Morreram todos — vítimas das viroses dos brancos —, com exceção de um menino de nome Minik e de um adulto que retornou para a Groenlândia. O museu destinou uma de suas vitrines para a exibição das ossadas.

Minik tentou reaver o direito sobre os restos mortais do pai e dos parentes por toda a vida, até sucumbir à influenza, em 1918. Na sua crença, a alma dos insepultos está condenada a vagar pela eternidade, caso não repouse em solo sagrado.

O tormentoso além só teve fim graças ao canadense Kenn Harper, que, em 1993, realizou o funeral do clã na pátria de origem.

Nesse mesmo ano, morreu Felipe Pinheiro, ator, escritor e primeiro óbito chocante da minha juventude. Longe do Brasil, não pude enterrar meu amigo.

No dia em que voltei, abri a porta de casa e recebi uma visita inquietante. Um passarinho saiu da floresta e pousou perto de mim. Não contente, subiu pelo braço e se instalou no meu ombro. Passamos horas juntos, perambulando pelos cômodos. Desfiz as malas e adormeci com o curió ainda ao redor. Quando acordei, ele não estava mais lá. Ele nunca mais esteve lá.

Não sou espírita. Creio que virarei adubo de árvore ou árvore, ou quem comer da tal árvore; mas até hoje alimento a desconfiança de que o pequeno ser emplumado era o Felipe se despedindo de mim. Delírio confesso; fruto, talvez, do fato de eu não tê-lo sepultado.

Fiz uma novela com Jardel Filho em 1981: *Brilhante*. Por razões óbvias, nunca fomos íntimos, mas compareci ao enterro de Jardel.

Nosso contato mais próximo se deu enquanto esperávamos para entrar em cena, atrás da porta do cenário da mansão. Metido num smoking 007, o belo revolucionário de *Terra em transe* virou seus faróis azuis na minha direção e perguntou o que eu achava dele no papel do milionário Bruno Newman. Eu tinha dezesseis anos e não lembro de ter respondido. Me recordo apenas da surpresa petrificante de ver o amor de Cacilda Becker em *Floradas na serra* atrás de uma tapadeira, pedindo uma opinião pra mim. Jardel morreria no folhetim seguinte, *Sol de Verão*, em pleno Carnaval de 1983.

O velório ocorreu no foyer do Teatro Municipal do Rio de Janeiro, ao som do cordão do Bola Preta, que comia solto do outro lado da rua.

Quem não chora não mama
Segura, meu bem
A chupeta
Lugar quente é na cama

Ou então
No Bola Preta

Uma longa fila de homenagens se dirigia ao caixão. O morto, postado em frente à escadaria principal, estava rodeado por uma procissão de fãs, jornalistas e notáveis, além de pierrôs, colombinas, travestis e bêbados da folia da Cinelândia. Glauber Rocha — que morrera dois anos antes — teria feito um filme e tanto da cerimônia.

Estar presente nas exéquias de Jardel me ligou definitivamente a ele, enquanto a ausência nas de Felipe me fez imaginá-lo encarnado em animais silvestres.

Os rituais não existem à toa, que o diga o esquimó.

Dedico estas linhas a Leon Cakoff, a quem não pude dar adeus.

Homo bahianus

Passei o Ano-Novo em Salvador. Na despedida, assisti à missa da Irmandade de Nossa Senhora do Rosário dos Pretos. Há dois anos, fortes chuvas danificaram a estrutura da capela original, erguida por escravos e alforriados. Enquanto aguardam a restauração, os fiéis realizam as preces na igreja do Carmo. O ritual é o retrato do sincretismo religioso que tanto vingou no Brasil. Atabaques saúdam o Senhor enquanto pães de santo Antônio rodopiam nas mãos de beatos bailarinos. Ninguém recebe santo em solo sagrado, a liturgia católica permanece intacta, mas, como na mais primitiva das experiências, a catarse rítmica arremessa a alma às alturas.

"Eu sou ateu, posso sair?", perguntou, entediado, meu filho de doze anos. Eu o deixei ir. Jamais induzi minhas crias a essa ou àquela religião, mas também não cultivei o ateísmo.

Caetano Veloso riu da certeza categórica em tão tenra idade e confessou que também não acreditava em Deus na adolescência. Mais velho, no entanto, percebeu uma censura repressora por trás da rejeição da esquerda e se reaproximou do divino.

É mesmo impossível negar a fé na Bahia. Ela não é imposta, é um hábito concreto, festivo, que domina o calendário anual. Cada igreja tem o seu dia; cada terreiro, uma agenda; cada imagem, uma adoração. E, mesmo no Carnaval, o mais pagão dos blocos só põe o pé na folia depois de ungido.

Os soteropolitanos sabem cultuar seus tesouros. Sempre que caminho no Pelourinho lamento a devastação do patrimônio colonial carioca.

O Rio de Janeiro decepou o morro do Castelo. Em 1921, a faraônica obra de remoção deu fim à favelização. Hoje, a ladeira da Misericórdia, antigo acesso à igreja dos Jesuítas, termina num abismo em linha reta tomado por mato. É tudo o que sobrou do berço da cidade.

Salvador enfrenta o milagre da multiplicação de prédios de trinta andares, estilo paulista, avançando pela orla como ocorreu na Barra da Tijuca. As cidades tendem a se perder quando assaltadas por corridas imobiliárias, mas a capital resiste.

Ao menos quando vista do mar no primeiro dia do ano, entre o farol da Barra e o do Humaitá, durante o trajeto da procissão do Bom Jesus dos Navegantes.

Acordei cedo para acompanhar a galeota que leva as imagens de Jesus e Maria entre a basílica Nossa Senhora da Conceição da Praia e a igreja da Boa Viagem.

O hino do Bonfim, na voz juvenil de Gil e Caetano, abriu os trabalhos, seguido do arrocha.

A romaria é uma invenção grandiosa que envolve a população, a geografia e as águas cristalinas da baía de Todos os Santos.

Levei na mala o livro de Nelson Motta sobre a juventude de Glauber Rocha. Só agora entendo o grau da amizade entre o cineasta e João Ubaldo Ribeiro. Que turma. Fala-se muito da sensualidade e da expansividade dos baianos, mas um dos grandes traços daquela terra é o refinamento intelectual.

Paulo César de Souza, cuja recomendada tradução do alemão de *Assim falou Zaratustra* acaba de ser lançada pela Companhia das Letras, mora lá. Paulo é discreto, lembra Antonio Cicero, e em nenhum momento se vangloria, ou mesmo deixa transparecer, da dimensão do seu saber. A razão, na Bahia, é uma prática tão espontânea quanto a fé. E o sexo.

No documentário *Caverna dos sonhos esquecidos*, de Werner Herzog, sobre as pinturas paleolíticas da caverna Chauvet, na França, o antropólogo Jean Clottes diz que o termo *Homo sapiens* não define bem o que somos. *Homo spiritualis*, na sua opinião, seria mais adequado.

A caverna Chauvet era um templo destinado à realização de cultos. Seus desenhos datam de 30 mil anos atrás. É um dos mais antigos sítios arqueológicos dessa natureza de que se tem notícia.

Ali, foram lapidados o sentido da representação, a arte, a música, o espírito e a fluidez da alma; a revolução que catapultou o abrupto desenvolvimento do homem moderno. A Bahia é a caverna Chauvet do Brasil, ainda em atividade. Daí a força do *Homo bahianus*.

A DIVINA COMÉDIA

Com a mãe na peça *Flash and Crash Days*, de Gerald Thomas. A montagem estreou em 1992, no Rio de Janeiro, e depois rodou o Brasil e foi a Nova York, Hamburgo e Copenhague.

O Inferno de Disney

Por doze anos recusei-me a levar meu filho à Disney. Uma convicção estética inarredável orientava a minha negação. Nessas férias, porém, uma viagem ao México com escala em Miami amoleceu o coração de mãe.

No dia 24 de janeiro do fatídico ano de 2012, abandonei os maias e a península do Yucatán e embarquei num avião rumo a Orlando. A temporada de cinco dias na Flórida foi comparável aos círculos de sofrimento de A divina comédia, de Dante.

Como Deus ora pelos inocentes, meu rebento menor, de três, caiu com 39 graus de febre no aeroporto de Cancún. A virose o deixou de molho nas primeiras 72 horas de aflição na América, enquanto eu e o maior adentrávamos as profundezas da terra onde os sonhos se tornam realidade.

O Limbo, primeiro círculo de penitência, se apresentou na forma de montanhas-russas colossais que comprimem os sentidos a forças G inimagináveis. Deixei meus neurônios serem prensados contra a parede do crânio em loopings cadenciados, até ser cuspida como um zumbi agastado, tomado por abobamento crônico.

As máquinas medievais de martírio causam náusea, vômito e enxaqueca.

Para os que preferem sofrer ao rés do chão, simuladores provocam a mesma sensação de abismo sem que eles saiam do lugar onde estão.

Na sétima hora do dia, enquanto era sugada, no lugar da chupeta, por uma Maggie Simpson descomunal, eu já não falava nem me mexia. Caí dura no resort de golfe, *wonderland* da terceira idade muito frequente na região.

A Flórida é o último refúgio dos que viveram até a aposentadoria.

Abri o olho e me neguei a assistir à tormenta das baleias cativas nos tanques do Sea World. Atrás de motivos para ser castigada, deixei que a luxúria me arrastasse às compras.

Usufruímos o céu nublado da Universal na tarde seguinte. O ar de quermesse do parque vazio, o clima ameno e o Harry Potter nos fizeram crer na alegria infantil dos americanos. Driblamos bem a comida intragável, servida em porções individuais que alimentariam famílias. O jejum é dádiva diante das aves inchadas a hormônio e do teor transgênico das lanchonetes. Orlando é a cidade campeã da obesidade mórbida; o Lago de Lama dos que sucumbiram à gula.

A última alvorada foi dedicada à Disney. O sol brilhou no sábado de inverno, atraindo a multidão bíblica que lotou os milhões de metros quadrados de hotéis, zoológicos e parques temáticos interligados por rodovias, hidrovias e ferrovias futuristas.

A Disney é um conceito apavorante de infância organizado num sistema angustiante de filas. É o anteinferno dos indecisos que aguardam em caracóis indianos uma satisfação que nunca chega.

Você anseia por ter o direito de aguardar em pé, agarrada à senha que só amplia a espera. A jornada se esvai na administração de tíquetes. A condenação à expectativa seria até suportável, não fosse o suplício sonoro.

Como vespas a picar os tímpanos, a voz enjoada das musiquinhas, os *cling, cleng, glom* das engenhocas de ferro e a proliferação de musicais da Broadway — encabeçados pelo grande show do castelo da Cinderela — são de perder a razão. E mesmo durante o safári, única esperança de silêncio ecológico, o timbre de buzina da guia aspirante a atriz vem inflamar o canal auditivo.

A comparação entre a delicadeza do Caribe mexicano e a artificialidade embalada em plástico de Orlando é chocante.

Antes de partir, visitei o paraíso. Um pântano na zona rural povoado por crocodilos, peixes e pássaros semelhante ao gigantesco charco que Walt Disney adquiriu no século passado.

Em paz, no meio da lagoa virgem, me perguntei o porquê de a zona urbana daquele lugar ser dona de um masoquismo tão arraigado.

Talvez seja culpa pelo excesso de ofertas nos supermercados, pela invenção do papel higiênico felpudo, do *supersize* tudo, dos veículos alcoólatras e das cidades sem pedestres. A insustentável fartura do ser se penitencia tomando sustos nos trens fantasmas.

Não é diversão, é dívida cristã. A Disney nasceu na Idade Média.

13 DE SETEMBRO de 2012
Minotauro

Sou uma das 15 mil pessoas que vociferam no evento de 27 de agosto do UFC no Rio de Janeiro. Shogun soca a frente de Forrest Griffin de cima para baixo com todo o peso do corpo; quando cansa, vira a mão de lado em forma de marreta e continua encacetando o opositor inerte.

Sentada ao lado de Álvaro Barreto — mestre de jiu-jítsu formado por Carlos e Hélio Gracie —, escuto o Yoda repetir baixo: "Tem que finalizar... tem que finalizar". Por "finalizar", entenda-se "apagar o parceiro de maneira rápida e sem martírio". Esse, revela Barreto, é o objetivo primeiro do embate. Percebo que o professor não admira chutes e bofetadas. Embora domine todas as artimanhas de ataque, sua predileção são as chaves de pernas e braços. "O sufocamento é o golpe perfeito. Aperta-se o pescoço do adversário até interromper a corrente sanguínea no cérebro. Ele vai à lona antes mesmo de sentir falta de ar."

Shogun não teve o requinte. Coube ao juiz dar por encerrada a revanche aos 1'53" do primeiro round. Segundo as regras, o árbitro deve intervir quando o que está apanhando para de se defender.

Chega a vez do Minotauro no octógono. Lutador experiente, operou a bacia e poucos acreditam no seu retorno. Brendan Schaub o acerta nas fuças mais de uma vez até que, com uma sequência veloz de bordoadas, o homem-touro nocauteia o adversário, escala as grades e urra para a plebe ignara.

O vale-tudo é o Coliseu romano. A diferença é que, depois de Jesus Cristo, a morte caiu em desuso.

Assisti a uma execução pública na Espanha, onde a tauromaquia resiste intacta. Não era um dia de gala na grande Plaza de Toros, mas não importa. Qualquer tourada de segunda já é capaz de impressionar o leigo. Assim como ensina Barreto, o bom toureador deve matar o monstro sem infligir dor. Se ele perfurar com exatidão o ponto nevrálgico da coluna vertebral do animal, a tonelada arriará como gelatina e a peleja estará concluída com a grandeza de uma obra de arte.

Naquela tarde, nenhuma besta havia tido a sorte de encarar um pelejador talentoso. Na terceira apresentação, o incapaz manejou a capa sem maiores brios, escondendo a espada debaixo do pano, e se encaminhou para o gran finale. Ruim de mira, chamou a fera pra cima uma, duas, três vezes, a cada vez uma estocada, e nada de o boi cair.

A arquibancada ecoou em vaias.

Atrás de mim, quatro senhorzinhos espanhóis observavam a carnificina enojados. Um deles não aguentou e berrou para quem quisesse ouvir: "Dá um rifle pra ele!". Quando o mastodonte por fim desabou, a turba arremessou as almofadas dos assentos no picadeiro. O mártir foi amarrado pelo chifre a uma carroça e arrastado em volta olímpica sob ovação da plateia.

Na hora, me lembrei da resposta da professora de religião a

quem perguntei se era pecado assassinar borboletas: "Não, minha filha, mas mata rápido".

O apagão fulminante é o ato de misericórdia, a prova de civilidade do guerreiro.

Que o diga o bailarino Anderson Silva.

Páthos

Tenho fascínio por perdedores. Admiro a invencibilidade chinesa, a americana, mas tendo a torcer pelos fracos.

Nas Olimpíadas de Londres, durante a eliminatória de hipismo, uma amazona japonesa entrou no picadeiro mais levada pelo cavalo do que no comando das rédeas. Não lembro se o conjunto derrubou o primeiro obstáculo, mas na hora de passar pelo segundo, a jovem puxou o freio na hora errada e fez o animal perder o momento. Três paus foram ao chão. Espantada, tentou continuar, mas o bicho refugou, atropelando mais duas traves. Ela parou, afagou o pescoço do animal e foi aplaudida. O gesto significava que assumia a culpa pela performance ruim. Com espírito olímpico, decidiu terminar o circuito. No trajeto, arrastou o que encontrou pela frente. Foi até o fim. O comentarista fez elogios ao cavalo por ele ter sobrevivido à moça. Foi inesquecível.

Na ginástica olímpica, Gabrielle Douglas executou sua série no solo com eficiência cortante, sem tensão ou risco de queda. Segundo informações de coxia, o técnico americano aconselhava as atletas a se divertirem, a *have fun*, no momento da apresentação. O pior já havia ficado para trás. A menina seguia à risca a vontade do mestre, sorrindo na conclusão de cada diagonal. Por um segundo, a espontaneidade mecânica dos musicais da Broadway iluminava os dentes alvos, como se o *have fun* fosse a obrigação final dos vencedores da América.

Quando terminou, Douglas estava com o ouro a um palmo do pescoço. A única adversária à altura, a russa Viktoria Komova, teria de superá-la no solo e dificilmente apagaria da memória dos juízes o desequilíbrio grosseiro durante a aterrissagem do cavalo. Douglas passou pela rival a caminho do banco. Não cruzaram o olhar.

A delegação russa vivia o quarto ato de *O lago dos cisnes*. Um desespero mudo, controlado Deus sabe como, um ódio intempestivo, fazia o peito de Komova arfar. Ela entrou em cena compenetrada.

Deu piruetas aéreas dignas do Ballet Bolshoi. Nenhum *have fun*. *No fun*. Komova dançava seu drama injusto: a queda do cavalo, os anos de sacrifício, o ouro merecido que lhe fugia das mãos. Ela oferecia, além da perfeição, o páthos que une a arte ao esporte.

Foi impecável, emocionante. Saiu ovacionada, abraçou o treinador e se juntou à colega, Aliya Mustafina, para aguardar o veredicto. As duas levantaram os braços em prece diante do placar. Pareciam mirar a Virgem. Komova não escondia mais a angústia, rezava. Ao saber que era prata, aceitou resignada a segunda colocação. Foi a grande perdedora da noite. Uma heroína à altura dos melhores romances do século XIX.

Elejo Komova e a amazona japonesa como dois dos pontos altos da competição de 2012. Tragédia e Comédia a serviço do esporte.

Orgia

A travessia africana de Carl G. Jung, narrada no livro *Memórias, sonhos, reflexões*, termina com um embate diplomático nos cafundós do Sudão. Partindo de Mombaça, no Quênia, em direção à nascente do Nilo, a expedição cruza as terras altas dos Massai até atingir o território "dos pretos mais pretos que já conheci", segundo as palavras do psicólogo e psicanalista. Cansados, os viajantes se preparam para dormir, quando são surpreendidos por uma dezena de guerreiros armados de lanças. Com medo de um ataque, Jung e os outros trocam oferendas e veem o grupo se retirar. Já na vigília, o suíço escuta uma algazarra do lado de fora da barraca.

São os guerreiros que retornam acompanhados do restante da tribo. Animados, erguem uma imensa fogueira, se dividem em dois círculos — mulheres por dentro e o dos homens por fora — e se põem a dançar freneticamente em torno do fogo.

Aliviados com a recepção amigável, os europeus assistem pasmos à cerimônia imemorial que se estende pela madrugada. Jung comunga do transe nativo, grita, rebola, bebe, e roda o chicote, até que, vencido pelo cansaço, sugere, com tato, uma retirada ao chefe. Mas o cacique responde que não, que eles querem dançar, e manda acelerar o batuque. Outra hora de catarse e nada de o festejo ter fim.

Desesperado de sono, Jung, entre sério e jocoso, ordena com voz de lobo mau que se acabe com a balbúrdia. E arrisca estalar o chicote, numa exibição de força digna de um babuíno. Surpresos com a atitude do estranho, os africanos estancam. Jung receia tê-los ofendido, mas uma gargalhada geral reverbera na selva e os faz retomar o rito. Já sem humor, o branco repete enfático a sua pantomima de insatisfação. O líder, finalmente, entende o recado e comanda a debandada.

O som longínquo da orgia ressoa até a tarde do dia seguinte.

Lembrei-me do causo ao adentrar a ArtRio, feira de arte contemporânea que aconteceu no Rio de Janeiro em meados de setembro.

Sempre gostei de passar as tardes em museus, de ir aos ateliês dos amigos, às galerias e bienais, mas jamais havia estado numa feira de arte. Ao contrário dos exemplos anteriores, todos filtrados por um olhar, do curador, do galerista ou do próprio artista, na feira cabe a você separar o que é arte do que é excesso.

O domingão de sol com as crianças, somado ao calor abafado e à extensão da mostra, proporcionou uma visão distorcida do evento. Os estandes, com divisórias repletas de desenhos, esculturas, pinturas, instalações e vídeos, todos à venda, pareciam uma feira de adoção de animais. Um surto coletivo semelhante ao dos sudaneses de Jung.

As sessões privadas para colecionadores, razão primeira da iniciativa, devem ter causado outra impressão. O real forte e a falta de dinheiro no Primeiro Mundo merecem ser capitalizados, temos que compensar o exílio do *Abaporu*, mas em meio a tanto de tudo: tanta gente, tanta obra, tanta expressão por metro quadrado, Di Cavalcanti, Mourão, Koons e Barrão se equivaliam pelas paredes.

A instalação do Ernesto Neto na Estação da Leopoldina, onde passei com a família antes de me dirigir ao mercado — um intestino rugoso que digere visitantes a dez metros de altura —, essa, sim, me trouxe contemplação. A feira, não, a feira foi só angústia.

Dentre todas as manifestações artísticas, as artes plásticas são as que melhor se adaptaram aos valores modernos, tão ligados à economia e às massas. O teatro, a literatura, o cinema e a música permanecem órfãos do século XX.

Com vantajosa liquidez, as artes plásticas se transformaram num fenômeno popular comparável à culinária, à moda e à decoração. O luxo para todos. E fizeram isso sem perder o caráter íntimo de seus artistas. Mesmo amontoados, Moore, Hirst, Tarsila e Varejão resistiam sendo Moore, Hirst, Tarsila e Varejão.

Apesar da voracidade e do cheiro de bolha inflacionária da quermesse dominical, comemorei a boa fase da arte no Brasil. Mas tive vontade de rodar o chicote e gritar: "Levem essas obras para casa!".

Ubaldo

Morreu João Ubaldo Ribeiro. Acabo de saber. A notícia chegou numa manhã de sol, com o vento forte anunciando a frente fria.

O Ubaldo é uma das consciências mais livres que conheci. Millôr e ele. Um acadêmico bem-dotadíssimo, frequentador dos botecos de esquina, um erudito de shorts e chinelo de dedo. Exímio contador de causos, era engraçadíssimo — e gravíssimo, quando preciso. Mais que baiano, um baiano da ilha que, avançada no mapa, primeiro defendeu a nossa soberania.

Ubaldo tinha uma inteligência assim, soberana, assombrosa, intimidadora, não fosse o calor com que te olhava, quando ria espremendo os olhos, meio índio, meio preto, meio árabe e português.

"Sou argelino na França, iraquiano na América e turco na Alemanha", dizia. Chegava com horas de antecedência aos aeroportos, ciente de que enfrentaria a dura. Certa vez, no Charles de Gaulle, em Paris, depois de vencidas as filas de imigração, avistou uma tropa de elite com cães farejadores vindo na sua direção. Ubaldo foi encostado de encontro à parede e teve os fundilhos revistados por um focinho adestrado na frente de crianças e senhoras idosas que esperavam o embarque.

Ele oscilava entre a candura máxima e o rigor extremo. A severidade era herança da criação que recebeu em casa. "Meu pai era obsedado por mim", me disse ele numa entrevista. Aprendeu a ler com cinco anos, dado o desespero do patriarca por ter um filho analfabeto. Abriu *Dom Quixote* e, em uma tarde, tornou-se íntimo das sílabas. Apanhou mais de uma vez por não saber a lição e cursou direito obrigado. Preferia filosofia, fetiche das garotas prafrentex dos 60.

Ubaldo era quente, galante, feio e irresistível.

O ensaio geral d'*A casa dos budas ditosos* foi um corridão melancólico, com ele, e só ele, na plateia. Saí certa do fracasso. Três dias depois, na estreia em São Paulo, o embaraço não se repetiu. O público respondeu furioso e as confissões de alcova se transformaram num fenômeno que me acompanha há mais de uma década.

Cada vez que narro a pornopopeia, me surpreendo com o ritmo da partitura, com as pausas, os apartes, as conclusões, o humor delirante, a delicadeza, o lirismo e a redenção do texto. É como estar com o Ubaldo de novo; e quem esteve sabe do poder encantatório, dos volteios de raciocínio, das cortadas ágeis e do falar pausado, quase anedótico, do monstro de Itaparica.

Passamos juntos um fim de semana a dois, em Salvador, quando a peça foi apresentada no Teatro Castro Alves. Paula e Caetano cederam a casa no Rio Vermelho e viramos as madrugadas conversando sobre o que a baiana do livro tinha dele.

Em Salvador, as chamadas de lançamento anunciavam uma comédia de João Ubaldo Ribeiro. Depois da primeira sessão, de volta no camarim, vi que algo o incomodava. Ele me chamou de lado, fazia tempo não via o espetáculo, e, com muito tato, disse que eu havia perdido a humanidade, que estava buscando o riso. Por fim, pediu que parássemos de nos referir ao texto como comédia.

A cobiça e a mecânica da repetição traíram a grandeza do homem. Nunca mais fui chula, nunca mais.

Se algo me ajudou a desenvolver a escrita, foi ter redatilografado A *casa dos budas ditosos* como exercício de memorização, durante os ensaios da peça. O treino revelou a gramática, a música que emana dele, e me abriu as letras. Com o tempo, perdi o medo de lhe escrever e-mails, coisa que, no início, se reduzia a magras interjeições.

O Ubaldo é sujeito oculto dos sete anos desta edição.

Mestre da era digital, dominava a web e mandava recados vez por outra. Guardo alguns gravados, naquela voz incrível que o pai proibiu que servisse ao canto. Um mês atrás, precisei de um amigo. Coisa rara, pedi um encontro. Ele me recebeu em casa, num domingo chuvoso, e conversamos longamente, como havíamos feito uma vez, na casa do Rio Vermelho.

Eu não sabia, mas era a despedida.

O Ubaldo é o tronco do ipê, como Caymmi e Glauber. Um desses espantos made in Bahia. Sem ele, o mundo perde muito da graça e do sentido.

1ª EDIÇÃO [2014] 2 reimpressões

ESTA OBRA FOI COMPOSTA EM ELECTRA PELO ESTÚDIO O.L.M./ FLAVIO PERALTA
E IMPRESSA EM OFSETE PELA GRÁFICA PAYM SOBRE PAPEL PÓLEN DA
SUZANO S.A. PARA A EDITORA SCHWARCZ EM FEVEREIRO DE 2025